Caiu na rede. E agora?

CB124228

Patrícia B. Teixeira

Caiu na rede. E agora?

GESTÃO E GERENCIAMENTO DE CRISES NAS REDES SOCIAIS

editora évora.

Presidente
Henrique José Branco Brazão Farinha

Publisher
Eduardo Viegas Meirelles Villela

Editora
Cláudia Elissa Rondelli Ramos

Projeto Gráfico e Editoração
S4 Editorial

Preparação de Texto
Bel Ribeiro

Revisão
Heraldo Vaz

Impressão
Edições Loyola

Copyright © 2013 *by* Editora Évora Ltda.
Todos os direitos desta edição são reservados à Editora Évora.

Rua Sergipe, 401 — Cj. 1.310 — Consolação
São Paulo — SP — CEP 01243-906
Telefone: (11) 3562-7814/3562-7815
Site: http://www.editoraevora.com.br
E-mail: contato@editoraevora.com.br

DADOS INTERNACIONAIS DE CATALOGAÇÃO NA PUBLICAÇÃO (CIP)

T268c

Teixeira, Patrícia Brito

Caiu na rede. E agora: gestão e gerenciamentos de crises nas redes sociais/Patrícia Brito Teixeira. – São Paulo: Évora, 2013.

168 p. ; 23 cm.

Inclui bibliografia

ISBN 978-85-63993-52-6

1. Administração de crises. 2. Redes de relações sociais. 3. Redes de negócios. II. Título.

CDD- 658.4056

Dedicatória

Dedico este livro primeiramente a Deus, que me inspira e me dá luz e orientações para o meu conhecimento.

Aos meus pais, Domingos da Silva Teixeira e Nilza Florência Brito Teixeira.

Aos meus irmãos, Alfredo José Teixeira Neto e Fabiana Regina Brito Teixeira.

À minha primeira afilhada e amada sobrinha, Manuella, que é um símbolo de vitória.

E ao meu companheiro, Paulo Henrique Pampolin.

Agradecimentos

Gratidão é uma palavra que remete a reconhecimento.

São tantas as pessoas que gostaria de agradecer, que a lista pode ser grande. Caso algum nome não tenha sido citado, já fica o meu sincero agradecimento por estar com este livro nas mãos.

Inevitavelmente, agradecemos primeiramente à família, que forma nossos alicerces de sustentação para nossos empreendimentos. Agradeço aos meus pais e irmãos por estarem sempre comigo.

Ao Paulo, meu companheiro, compreensivo nos momentos que preciso me trancar e estudar.

A todos da Trixe Comunicação Empresarial, que sempre me apoiam.

Aos professores do Mestrado da Faculdade Cásper Líbero.

A minha eterna orientadora, que esteve comigo no mestrado, Ângela Salgueiro Marques.

Aos professores da Universidade de São Paulo, que me aceitaram como aluna especial e me incentivaram ao doutorado, Heloiza Matos, Margarida Maria K. Kunsch e Maria Aparecida Ferrari.

Aos profissionais que me receberam e contribuíram para este livro: Ricardo Tortorella (Sebrae), Regina Barros (ViaQuatro), à equipe do Bradesco, por intermédio de Marcelo Salgado, Osvaldo Boreli, Edney Souza (Interney).

Aos diretores da Editora Évora, Henrique Farinha e Eduardo Villela.

E a você, que reservou um tempo a esta leitura e se interessou pelo meu trabalho...

SUMÁRIO

APRESENTAÇÃO

Sempre fiquei meio desconfiado com trabalhos acadêmicos no Brasil, provavelmente porque as principais lições da minha vida profissional eu aprendi na prática. Mas isso não me afastou da academia: graduei-me, especializei-me e comecei a lecionar. Sempre valorizei a formação, apesar de ser autodidata, porque acredito que uma educação melhor é a forma de acelerar a profissionalização de diversos mercados, inclusive o de comunicação.

Com essa preocupação em mente, sempre procurei valorizar e apoiar acadêmicos e pesquisas que se aproximem do mercado, e poder colaborar com este livro é um grande privilégio.

Patrícia resgatou tudo o que a academia e o mercado produziram sobre gerenciamento de crise e mostrou como as mídias sociais transformaram os conceitos e as práticas envolvidas na prevenção e planejamento no pré e pós-crise.

Este livro o ajudará a prevenir-se, a blindar a sua marca, a reagir durante uma crise, a documentar as lições aprendidas e a evitar a repetição de erros passados.

Pela análise de diversos casos, você entenderá em que as empresas erraram e de que modo crises famosas no Brasil e no exterior poderiam ter sido evitadas ou minimizadas. Verá que, em alguns casos, todas as práticas de gestão de crise tradicional foram acionadas, mas os profissionais não estavam familiarizados com as mudanças que as redes sociais na internet trouxeram para esse cenário.

Este livro é recomendado para qualquer profissional de comunicação. O preparo para a crise deve estar no DNA de qualquer trabalho, seja no planejamento, seja na execução, seja na mídia *off-line* ou *on-line*. O que acontece nas mídias sociais não fica mais só nas mídias sociais, mas se espalha, se torna viral, contaminando e prejudicando quem não estiver preparado. Este livro o ajudará a preparar-se, assim como a preparar sua equipe e seus clientes. Não importa se você já é experiente no assunto, pois Patrícia conseguiu reunir a experiência de diversos profissionais e a digeriu para que você possa aproveitá-la em seu dia a dia de uma maneira mais eficiente.

EDNEY SOUZA
Professor, empreendedor e especialista em comunicação digital

PREFÁCIO

São poucas as opções de literatura a respeito de "crises nas redes sociais", por isso devemos festejar o trabalho de Patrícia Brito Teixeira. O tema é árido, de difícil apuração porque as organizações não gostam de falar sobre isso. É desgastante buscar casos de referência pois as empresas evitam expor suas experiências negativas, sejam ocorridas em redes sociais ou não. O valor deste livro encontra-se nos conceitos e nos inúmeros casos reais, em torno dos quais navegamos da primeira à última página. Por ser uma obra nacional, o trabalho aponta experiências em nosso país, o que é muito especial, pois crises têm forte conexão com cultura, comportamento e história.

O mundo está passando por grandes transformações tecnológicas e sociais, e no meio disso tudo encontra-se a internet, a rede poderosa que conecta todos com todos, em tempo real. Nunca o cidadão teve tanta influência como agora. Pesquisas mostram que o boca a boca, virtual ou não, é o tipo de comunicação que tem maior poder de influência nas decisões de compra e no comportamento dos consumidores. As redes sociais e os *gadgets* móveis potencializam isso ao máximo. Por outro lado, as empresas dependem cada vez menos dos canais tradicionais de imprensa para se comunicar com sociedade e os seus clientes.

Nunca tudo foi tão exposto e transparente como agora. Vivemos todo o tempo no palco e com telhado de vidro. As empresas parecem que ainda não entenderam isso e negligenciam sua presença nas redes, não cultuam o diálogo e não se planejam para esse novo ambiente.

Crise? Que crise? Já ouvi isso muitas vezes. As organizações minimizam os primeiros sinais de uma possível crise, têm dificuldade em identificá-las e, por isso, procrastinam suas ações de comunicação. Ficam sentadas esperando para ver o que acontece, o que é uma cultura forjada na época onde havia total dependência das relações com a imprensa. A situação é ainda pior, pois Patrícia mostra que as empresas, de modo geral, não têm planos de prevenção para enfrentar problemas graves. A maioria das crises não surge repentinamente, exceto em alguns casos de tragédia, mas vêm do mundo externo, com impactos diretos na internet e na imprensa, iniciam-se com pequenos sinais, como sintomas de uma doença, e quase sempre é um processo evolutivo. Por trás disso encontram-se a identidade, a imagem e a reputação corporativa, que são construídas tijolo sobre tijolo.

Logo no início do livro, Patrícia explica o que o público espera da presença das empresas nas redes sociais: aproximação, interação e engajamento, tudo sob o manto de uma relação de confiança e transparência. Somente dessa forma uma organização será relevante e conseguirá construir credibilidade junto ao seu grupo de relacionamento. Avalio que os três últimos capítulos são os mais importantes do livro, repletos de dicas e de conselhos que não podem ser desprezados. Patrícia ainda nos brinda com suas Considerações Finais, resumindo, generosamente, os pontos mais importantes de toda a obra. Imperdível! É para guardar, colocar num envelope e escrever do lado de fora: SOS - abra se entrar em condição de emergência.

Esta é uma obra de referência, que deve estar na estante de qualquer profissional de comunicação e marketing. Repleta de casos reais, muitos atuais, com rastros que ainda podem ser explorados na internet. Ler este livro esporadicamente dará o alerta constante de que o leitor precisará ter em seu dia a dia – lembrando que preparação e planejamento são fundamentais para todos aqueles que lidam com comunicação e marketing no mundo atual das redes sociais.

Mauro Segura

Diretor de marketing e comunicação da IBM Brasil
e autor do blog A quinta onda

INTRODUÇÃO

A comunicação organizacional está diretamente relacionada ao meu cotidiano profissional. Tal fato me motiva a explorar de maneira mais aprofundada os conceitos teóricos que embasam este campo de estudos, de modo a utilizá-los posteriormente para refletir a respeito dos "modos de fazer" que sedimentam minha prática. Meu interesse em estudar temas referentes a crises organizacionais surgiu quando, sem querer, comecei a prestar atenção nos posicionamentos assumidos por diferentes organizações diante de algumas crises enfrentadas ao longo dos últimos quatro anos.

O acompanhamento do desenrolar dos fatos, a cobertura realizada e a postura assumida pela imprensa, assim como respostas positivas e outras negligentes fornecidas pelas organizações, me fizeram perceber quanto uma análise qualitativa dos processos comunicacionais que ganham corpo em um momento de crise poderia contribuir para uma abordagem mais aprofundada do tema.

A pesquisa para o Mestrado foi minha bússola para buscar a literatura adequada, como também me aprofundar na pesquisa de gestão e gerenciamento de crise nos meios *off-line* e *on-line*. Posteriormente, aprofundei minhas pesquisas com as crises no universo das mídias sociais, pois, na era da sociedade da informação, o barulho se torna muito maior e enlouquecedor para as organizações diante deste cenário de tanta velocidade.

Nesta trajetória de pesquisa, ficou-me extremamente claro que os processos de gestão de crise continuam os mesmos, evidenciando a falta de consideração por uma mídia pelo menos dez vezes mais dinâmica e veloz: a internet. O assunto mídias sociais é extremamente novo, tanto para o mundo acadêmico como para as organizações. E, bem por isso, estudar o melhor caminho será sempre uma constância.

A escrita deste livro foi extremamente desafiadora, pois, mundialmente falando, não há literatura sobre o assunto. Por isto, o resultado aqui apresentado é a união entre pesquisa, análise de *cases*, observação, união dos conceitos de gestão e gerenciamento de crise, comunicação digital, e muita leitura.

Este livro, destinado a profissionais de comunicação, marketing e publicidade e a administradores e estudiosos de comunicação digital, está dividido em sete capítulos, nos quais se mistura teoria à prática. O objetivo é que, com ele, um empresário reconheça que seu negócio possui risco, e que a internet tem o poder de multiplicar a crise.

Quando falamos de crise, não podemos dissociar o termo risco, pois, ao mapear as ameaças do negócio, é possível preveni-las e minimizá-las para que não gerem uma crise.

A fase de desenvolvimento econômico mais atual, que chamamos globalização, destaca-se pela quebra de fronteiras, pelo direito de ir e vir e pelas possibilidades ilimitadas de nos comunicar com pessoas em diferentes lugares do mundo em tempo real, graças ao avanço da tecnologia e, em especial, dos transportes e das tecnologias de informação e comunicação. Contudo, é preciso ressaltar que, com o progresso e os benefícios da globalização, vieram também incertezas e ameaças difíceis de prever e calcular.

O processo de globalização traz, além de pontos positivos, consequências extremamente negativas; discute o desenvolvimento de um modelo de sociedade resultante dos processos de industrialização, dos avanços tecnológicos e do desenvolvimento econômico, que Ulrich Beck e Anthony Giddens chamam de sociedade do risco. Este é um tema pelo qual possuo profundo interesse.

Se antes o termo "risco" era utilizado majoritariamente na medicina, hoje é também empregado nas áreas de economia, finanças, meio ambiente, segurança, entre outras.

A comunicação se torna um fator fundamental neste processo, pois o risco, ao se transformar em tema de discussão e reflexão na esfera pública, abre possibilidade para o debate, o diálogo, a negociação e, por fim, a busca de soluções, ou, ao menos, para a tentativa de se elaborar medidas de precaução.

Neste debate, a mídia configura-se como uma arena à qual converge uma diversidade de pontos de vista. Os agentes midiáticos, ao editar e conferir visibilidade aos diferentes argumentos elaborados para o processo de apresentação e justificação pública de riscos, exigem que governos e organizações se posicionem na esfera pública.

No primeiro capítulo, faremos uma reflexão sobre a formação da opinião pública, que, por meio das redes sociais, contribui para a cobrança de medidas. Entender sua origem e formação permite que gestores definam suas estratégias de comunicação, com a apresentação de argumentos adequados à organização, lembrando-se sempre de que cada rede social tem uma peculiaridade que deve ser considerada ao se definir uma comunicação.

A opinião pública nasce do debate, da troca de argumentos e informações entre um determinado grupo, ou vários grupos, de pessoas que se sentem afetadas pelas questões em pauta. Sua construção depende também dos posicionamentos assumidos pelas organizações e das contribuições para as resoluções das crises. O resultado deste processo pode ser positivo ou negativo. A população pode ajudar na resolução dos problemas, por exemplo, boicotando uma empresa, não consumindo seus produtos por se sentir lesada. Ao mesmo tempo, por meio da pressão exercida pela opinião pública (e também por alguns organismos, como a OMC – Organização Mundial do Comércio), atitudes são tomadas; surgem leis e normas, por exemplo, em prol da defesa de animais, mudanças de embalagem, e assim por diante.

No segundo capítulo abordaremos, com mais detalhes, o que é uma crise, como elas nascem no meio digital e seus impactos. Na era da sociedade da informação, as crises nas redes sociais originam-se de duas maneiras: ou nascem no próprio meio digital, ganhando grandes proporções, ou se iniciam no universo *off-line*, ganhando a força das redes sociais para repercutir o caso.

Por que se importar tanto com as crises de imagem?

Crises abalam sistemas financeiros, afetam o clima organizacional (ambiente corporativo em que se encontram os colaboradores), mexem com a estabilidade da produção e prejudicam a imagem e a reputação de empresas. A imagem é resultado não só de uma boa percepção e opinião dos públicos de interesse sobre as organizações, mas também de crédito acumulado a partir de um processo de comunicação bem-sucedido. Para conquistar uma reputação sólida, os gestores de comunicação organizacional têm de empreender esforço para criar um planejamento estruturado e integrado que contemple a construção da identidade corporativa, que se estrutura em torno das mensagens propagadas de dentro para fora da empresa. O resultado do bom trabalho desta construção gera a imagem e, no longo prazo, a reputação. Esta última está baseada na produção de reciprocidade e confiança. Falaremos sobre este tema no terceiro capítulo, pois torna-se importante entender por que se preocupar com as crises, em especial no universo *on-line*.

O quarto capítulo é voltado totalmente à exemplificação de *cases* que aconteceram, principalmente nos últimos dois anos, e ganharam o Trend Topics do Twitter, ou que viraram *cases* históricos – analisaremos com mais detalhes *cases* como, por exemplo, da Brastemp, Arezzo, Zara, Americanas.com, entre outros – para aprender a evitar este caminho, como o caso do compositor que fez uma música dedicada a falar do seu violão quebrado em um voo da United Airlines. A partir do momento que se aponta uma empresa para ser *case* de um livro, não significa colocar o dedo na ferida e dizer quanto errou. O objetivo é um olhar construtivo para que todos aprendam a partir das falhas. Como dizem meus pais: "o aprendizado nasce dos erros".

Após se aprofundar nos *cases*, o caminho é ir para a prática. E agora, como construir o processo de gestão de crise nas redes sociais? Esta é a abordagem dos capítulos 5, 6 e 7. Importante destacar que gestão de crise é diferente de gerenciamento. Gestão é o trabalho prévio, que inclui toda a parte de planejamento. Gerenciamento é o ato de administrar, colocando em prática o que foi definido na gestão.

Não existe uma fórmula pronta de como este processo deve ser feito, seja no que diz respeito ao planejamento e a um estudo de ações prévias, testadas e treinadas, seja no momento em que se desencadeia uma crise, o chamado gerenciamento. No entanto, as empresas buscam esta fórmula mágica que possa ser aplicada facilmente. Alguns autores, pesquisadores dos processos de gerenciamento de crises, já as apresentaram, como se fosse possível realizar o planejamento e o gerenciamento sem um profissional especializado. Claro que as dicas ajudam, e é melhor que não fazer nada. Mas a gestão de uma crise deve ser realizada caso a caso e, geralmente, um modelo que serve para um ator não serve para outro.

De acordo com minha pesquisa, existem poucos estudos no mundo que retratam a gestão e o gerenciamento de crise de imagem na internet. Graças aos estudos feitos por González-Herrero e Smith (2008) e Mei, Bansal e Pang (2010), foi-me possível aprimorar o modelo de gestão e gerenciamento de crises *on-line*. No Capítulo 5, o enfoque está direcionado à gestão de crise, dividido em três etapas: *Issue Management*, Prevenção e Planejamento. De forma resumida e bem simples: identificar os riscos, trabalhar na prevenção, contenção e minimização dessas vulnerabilidades, para, depois, iniciar a fase de planejamento. Existe uma grande dúvida em como elaborar um manual de crise. Sabendo disso, este livro traz orientações de como construí-lo. Mas trata-se de um roteiro básico, pois o ideal é ter a orientação de um profissional.

Continuarei sempre enfatizando que estratégico é a empresa investir tempo, dinheiro e em profissionais na fase de gestão de crise, pois um risco pode eclodir a qualquer momento, e não saber como lidar com ele pode levar a grandes perdas financeiras, além de outros danos. Mas se mesmo assim a crise ganhar força e sua marca estiver envolvida em um escândalo *on-line*, é preciso saber gerenciá-la. Este é o direcionamento do Capítulo 6, que aborda como identificar uma crise, seus primeiros passos, e como contê-la, dando respostas certas e atuando com agilidade, transparência e respeito aos *stakeholders* da organização.

Dizer que uma crise passou é um desafio, pois ela pode retornar a qualquer momento. A internet traz a possibilidade dessa volta à discussão por conta do registro nos buscadores. Uma marca, quando envolvida em um escândalo, passa a ser discutida nas mídias sociais e ganha as páginas de jornais e a audiência da TV, ou seja, fica tudo registrado. Quando o nome da empresa ou do produto é digitado no buscador, está lá a crise. Além de manter a atenção no assunto para não ganhar força, a tarefa é reconstruir a reputação da marca para que os diferenciais da empresa sejam evidenciados. Como? Você encontrará a resposta no Capítulo 7, que evidencia a eficácia do plano de comunicação digital para esta reconstrução.

Acredito que este livro seja um ponto inovador para as pesquisas de comunicação corporativa, afinal, além de estarmos na sociedade do risco, também devemos considerar nossa inserção na sociedade da informação, caracterizada pela velocidade da comunicação e o desejo de consumir informação.

Este trabalho reforça a ideia de que na era da sociedade do risco, mesclada a uma sociedade da informação, organizações não podem mais deixar de se comunicar corretamente. A comunicação para diferentes organizações precisa ser feita com planejamento, e qualquer organização, independentemente do seu tamanho, deve ter consciência de que não está imune à crise. Saber como lidar com riscos e crises é o caminho para se resguardar dos danos. E não podemos nos esquecer de que um erro ou falha de comunicação pode significar um grande passo para a eclosão de uma crise, que será vista e discutida na esfera pública, que agora tem a internet como um palco maior de discussões.

Boa leitura!

CAIU NA REDE. E AGORA?

Capítulo 1

A FORÇA DA OPINIÃO PÚBLICA

Talvez você esteja se perguntando por que estudar a opinião pública em um livro de crises na internet. Durante minhas pesquisas sobre comunicação organizacional e gerenciamento de crises não foi possível desmembrar uma coisa da outra, pois torna-se fundamental entender a formação da opinião pública, sua força e mobilização, e quanto ela se organiza para repercutir assuntos polêmicos.

A meu ver, todos os gestores de organizações, públicas ou privadas, deveriam ter esta noção. Afinal, ter este conhecimento torna as estratégias mais efetivas, além de se obter consciência das consequências negativas de uma ação malsucedida.

Já estive em contato com diretores de empresa, proprietários, gestores de marketing, que imaginam que seus atos não terão repercussão, que os assuntos ficarão trancados na sala, ou que, por terem representatividade, somente em um local poucas pessoas se interessarão pelo que fazem e seus princípios éticos. Estão enganados. A partir do momento que uma organização abre seu CNPJ, está sujeita à mobilização da opinião pública, pois, de alguma forma, já está gerando comunicação e informações. Sendo assim, a partir daí, qualquer pessoa pode emitir uma opinião sobre aquela recente organização. Tudo dependerá dos discursos apresentados, seus produtos, formas de atendimento, suas diversas atitudes, etc.

Mas, afinal, como nasce esta opinião pública capaz de mover um negócio? Por que ela é de suma importância para um gestor que pouco entende dos fluxos comunicacionais? Para evitar a doutrina dura, apresentarei a você, leitor, as teorias por um viés mais prático a fim de lhe oferecer melhor entendimento.

Nas últimas décadas, os estudos de opinião pública ficaram concentrados na força e mobilização da imprensa, mas, em anos mais recentes, este retrato mudou, e percebeu-se que a internet é um espaço livre e infinito para a troca de informações, argumentos e debates em tempo real, que conta, ainda, com a contribuição dos dispositivos móveis para validar a velocidade dos fatos.

Hoje, qualquer assunto, desde o mais polêmico até o mais simples, encontra um ambiente para discussão. Vamos ilustrar com um exemplo bem simples. O jogador de futebol X, do time Y, recebe uma proposta para jogar na Europa. À medida que os fatos vão sendo expostos – como, por exemplo, quanto vai ganhar, em que time vai jogar, suas perspectivas –, permitem que um indivíduo discuta sobre aquele tema com o grupo de amigos, na empresa, etc. E surge o debate: ele deve ou não ir? "Mas ele vai ganhar muito dinheiro.". "É bom que ele vá e libere nosso time para ganhar o campeonato.". "Mas ele não fará um bom negócio, já que o Brasil está próximo da Copa 2014." . "Ele está sendo antiético, o time o ajudou a se tornar um craque, e agora ele quer ganhar dinheiro na Europa.". Este debate futebolístico está dentro da realidade masculina, pelo fato de os homens formarem a maior parte do público que acompanha isso de perto, quase diariamente. Mas perceba as exposições de argumentos de cada frase.

Imagine este debate em outro assunto: "Autor da novela das oito retrata a paixão de dois personagens gays, mas nega a possibilidade de ir ao ar um beijo explícito em horário nobre". O movimento de ativistas em defesa dos gays irá a público para dizer que "a homossexualidade é um assunto do cotidiano, e que discriminação não faz parte do novo século". Um grupo de senhoras da igreja rebaterá: "É um absurdo e uma falta de vergonha passar uma história com gays; não devemos deixar nossas crianças assistir à novela.". Outro grupo de pessoas, com um posicionamento neutro, diz: "Vivemos em um país livre, no qual cada um faz o que deseja.". "O importante é ser feliz.". "É necessário que a novela retrate este tipo de assunto para que diminua a discriminação.".

Perceba que nestas simulações de pontos de vista existem grupos debatendo o assunto de acordo com sua perspectiva, suas crenças e vivências, com base na sua educação, no seu grupo de amigos, na sua cultura, em seus valores morais e princípios éticos, etc. São fatores que determinam a defesa ou a acusação de um assunto. Na construção da opinião pública, não existe certo ou errado. E está aí a beleza de realizar a exposição de uma opinião. Quando uma pessoa discorda do meu ponto de vista, trazendo um argumento convincente, confesso que adoro, pois, a partir da minha opinião, complemento com a da outra pessoa, e tenho acesso a novos argumentos.

A partir de um debate, os argumentos individuais são expostos a um determinado grupo – seja uma associação, um sindicato, a empresa onde trabalha, uma roda de amigos ou na mesa do jantar. Esta exposição permite que outros tirem novas conclusões, gerando nova opinião, que, quando exposta, pode gerar outros argumentos de outros naquele mesmo espaço. O ciclo pode ser constante, ter ou não fim. O espaço onde a opinião pública ganha relevância é o que os estudiosos, como Habermas, chamam de esfera pública. Não se trata de um espaço físico, mas o ambiente no qual acontece o debate. Para um mesmo tema, podem existir diferentes esferas públicas de acordo com a perspectiva de interesse. A esfera pública se forma quando o tema é de interesse de um determinado grupo, que pode ser formado por poucas ou centenas de pessoas, ou pessoas em grupos diferentes, porém tratando do mesmo assunto.

Alguns autores assim dividem opinião pública: grande opinião pública, formada por todas as pessoas, ou seja, a sociedade, e pequena opinião pública, que abrange pessoas interessadas e ligadas a uma organização. Estas seriam os *stakeholders,* públicos de interesse que mantêm relacionamento, como colaboradores, consumidores, acionistas, fornecedores, distribuidores, revendedores, comunidades, governo, associações, sindicatos, etc.

Algumas das características da opinião pública são: formada por um grupo para debater um assunto de interesse coletivo; faz-se necessário ouvir a exposição do argumento do outro; não pode haver ofensas;

é fundamental o processo de interação; e que se busque um consenso. Importante mencionar que não é possível haver uma opinião pública se não houver a interação e a troca de ideias com outra pessoa ou grupo, pois, neste caso, estaríamos falando apenas de opinião particular.

Sua importância é ativar o debate, discutir o assunto, observando diferentes interesses para se chegar a um consenso, que agrade o maior número de pessoas. Este resultado permitirá mudanças de atitudes, regras, normas, etc., para se atingir uma melhoria ou uma vontade de uma população.

A prática comunicacional é importante para a formação da opinião pública, em especial em relação ao público presente – por meio de reuniões, organizações, foros, etc. –, assim como a presença virtual, pessoas situadas em locais distantes, o que permite um número maior de participantes.

Opinião pública e mídia

O que faz a mídia neste processo? Ela é relevante para expor os posicionamentos dos envolvidos e permitir as interações no debate da esfera pública.

A imprensa tem a função de expor os argumentos de determinados grupos, sem manipular nem expor sua opinião. Órgão da opinião pública por trazer à tona informações e debates de interesse comum, é considerada o quarto poder, tão forte sua influência. A formação da opinião pública precisa da sua existência para que informações sejam trocadas e publicadas, a fim de permitir que um maior número de pessoas tenha acesso à informação do seu interesse.

O objetivo da imprensa é abastecer o debate público sobre fatos e novas informações, assim como dar subsídios para pensar, julgar e formular entendimentos sobre temas de interesse. O direcionamento das informações é dado pelo corpo diretivo do veículo, que determina a linha editorial a seguir e a melhor abordagem. A mídia produz notícias relevantes que causam impacto e influenciam o maior número de pessoas, ou seja, que integram e estimulam o processo de construção da opinião pública.

Além da imprensa, são meios de difusão da opinião pública: associações, reuniões, demonstrações de rua ou praça, festividades ou mesmo outras ocasiões em que grupos estejam reunidos, como as reuniões de amigos à mesa de um bar ou um chá da tarde na casa das amigas.

É como se fossem colocados os argumentos dos grupos de interesse daquele assunto, ou pelo menos dos principais, em um mural. É por conta disso que, em matérias publicadas, são comuns as expressões "Segundo o presidente", "De acordo com o Instituto X", ou o uso de declaração entre aspas de pessoa importante naquele assunto. Trata-se da exposição dos argumentos das partes envolvidas. Esta é a função, segundo a teoria apontada pelas escolas de jornalismo, de um jornalista ao realizar sua matéria e expor ao público diferentes versões sobre um caso. Aqui entre nós, não vamos entrar na discussão se a grande imprensa exerce ou não esta função, se existe ou não imparcialidade, pois este tema rende outro livro.

O leitor, com certeza, questionará, dizendo que a opinião pública não tem voz em assunto de interesse do governo e da política por conta da realidade em que vive. Mas posso afirmar que grande parte dos temas em votação no Congresso passa por uma análise da opinião pública. E em alguns casos, quando o povo não concorda, é possível adaptar uma lei ou até mesmo não sancioná-la, por exemplo. Preste atenção. Existe sim, mas não em todos os casos.

As empresas devem levar em consideração a opinião pública

As empresas também são influenciadas diretamente pela opinião pública, pois, graças ao resultado positivo do debate, colaboradores geram confiança, acionistas investem nessa ou naquela empresa.

Pelo resultado negativo, produtos são tirados do mercado, surgem leis de fiscalização, controle de produção, defesa dos animais, entre outras medidas oriundas do debate na esfera pública. Sendo assim, as crises sofrem o poder direto da opinião pública, que, por sua vez, tem força até para boicotar uma empresa ao se sentir lesada ou traída quando uma ação fora de controle acontece.

Afirmo que a força da opinião pública é a grande mobilizadora capaz de retirar um produto das prateleiras, exigir um *recall* ou impedir a comercialização de determinado produto. Seguindo esta mesma linha de raciocínio, vou citar um exemplo de como surge uma repercussão envolvendo uma organização.

Uma empresa de bolsa e sapato decide lançar uma coleção com pele de coelho, uma tendência de moda em Nova York. Um grupo de ativistas em defesa dos animais e pessoas simpatizantes afirmam: "Esta empresa visa ao lucro sem respeitar a vida de um animal". Outro grupo de mulheres pode argumentar que "não deixará de comprar produtos da marca, e que isso não fará diferença". Vale relembrar aqui que, no processo de opinião pública, não existe certo ou errado, mas, sim, a exposição de argumentos, com cada um responsável por tirar sua conclusão.

Os americanos, pela sua própria história e educação, têm um engajamento diferenciado de outros locais do mundo. Por exemplo, quando uma empresa não age corretamente, os consumidores boicotam e deixam de comprar o produto até o momento que a empresa tome atitudes que venham ao encontro da filosofia do consumidor. Este é um dos motivos por que as crises são mais levadas a sério pelas organizações americanas. Lá, o tema é mais amadurecido, existem mais pesquisas, bibliografias, cursos, e as próprias organizações consideram fundamentais os trabalhos de gestão de crise.

Você sabe o que está sendo falado da sua empresa neste momento? Será que o produto que você lançou está tendo repercussão? Você conhece as reclamações? Importa-se com o que estão falando de você? A empresa está disposta a saber? Mudaria um processo produtivo para não afetar um determinado grupo, ou para não afetar os valores morais do seu público? Toma conhecimento da origem da matéria-prima, e se seus fornecedores agem dentro do princípio ético de produção, não utilizando mão de obra escrava ou infantil, por exemplo? Conhece a opinião do consumidor na região Sul ou no extremo Norte do Brasil? Independentemente se uma organização foi exposta aos holofotes da imprensa, todas devem conhecer o que se fala da sua marca e, principalmente, os riscos do seu negócio. Poucas empresas têm esta consciência e preocupação com seu consumidor.

Entender como se forma a opinião pública permite que as organizações alimentem o debate de forma construtiva, dando pílulas de argumentos para a construção da sua imagem e reputação. Tal construção precisa ser feita estrategicamente; afinal, reputação também pode ser negativa.

Quando uma crise aparece, grupos se formam ou se reúnem – quando já existentes – para que atitudes sejam tomadas e viabilizadas. As próprias organizações devem estar engajadas e preparadas para o debate em busca de soluções e esclarecimentos a diferentes públicos. Por meio do debate e da sua conclusão publicada, organizações se mobilizam para as soluções.

Dependendo das respostas dadas pela organização, o público debate os fatos, a imprensa publica as versões da história, e novos julgamentos são feitos para se chegar a uma conclusão positiva ou negativa.

Importante também não confundir opinião pública com pesquisa de opinião. Habermas[1] sinaliza o cuidado que se deve ter com este primeiro termo, pois que se confunde com o segundo: "A pesquisa de opinião pode fornecer um certo reflexo da opinião pública, se o levantamento for precedido por uma formação da opinião pública através de temas específicos, em um espaço público mobilizado".

A opinião pública nas redes sociais

A opinião pública também acompanhou as tendências. O capitalismo, no compasso da globalização, trouxe os avanços da tecnologia e da comunicação, integrando-as à velocidade da informação. Claro que dizer isso não é novidade, mas tais fatores influenciam o modo como as pessoas se comunicam, trocam experiências, realizam debates e, claro, constroem a opinião pública.

Quando o *boom* da internet se deu, em meados nos anos 1990, a grande novidade era acessar notícias e ter endereços de *e-mails* para trocas de mensagens. Poucas pessoas imaginavam até onde caminha-

1 *Direito e democracia*, p. 94.

ríamos. Como sempre acontece, no meio do caminho surgiam "modinhas", que eram importantes para aquele momento, e que depois desapareciam ou evoluíam, como foi o caso do mensageiro ICQ. Na época, conversar com uma pessoa em qualquer lugar no mundo, com o próprio buscador selecionando de acordo com os interesses em comum, era a maior novidade. E lembre-se de que na época não havia os recursos de vídeo, e isto fazia grande sucesso.

Serviços de internet surgiram, foram embora, vieram outros, alguns se estabeleceram no mercado. Em paralelo a tudo isso, temos de considerar que, nos últimos dez anos, houve um grande crescimento nas vendas de computadores, notebooks, smartphones e, agora, os tablets; sem contar o cenário da evolução da conexão no Brasil: laptops com modens de internet sem fio, estabelecimentos com internet gratuita, celulares cada vez mais modernos com alta velocidade de conexão. Os dispositivos estão conectados *full time*, o que me permite dizer que os cidadãos estão mais digitais do que nunca.

Interessante mencionar a convergência da mídia com a influência da Web. Isto é percebido muito claramente na relação TV e mídias sociais. Um exemplo: à medida que a programação da TV Globo vai seguindo, o debate vai surgindo nas redes sociais, em especial pelo Twitter – pelas próprias características do microblog em comentar assuntos diversos. Começa o *Jornal Nacional* com as notícias relevantes do dia, e o Twitter passa imediatamente a comentar, e os próprios apresentadores e repórteres estimulam o debate das matérias. Isto é muito claro em relação aos assuntos debatidos entre 20h15 e 21 horas de segunda a sábado, repercutindo a economia, a posição de um partido político, uma nova medida do governo, etc. Todos passam a participar e a debater. Logo em seguida, vem a novela das oito (que na verdade passa por volta das 21h), e cessa o debate das notícias do dia, para entrar outro, agora com tom de entretenimento. A vilã vai matar ou não a protagonista? Olha a gafe cometida pela personagem, etc. Estes exemplos servem para demonstrar, na prática, como funciona a convergência da mídia.

Um fato que ganhou muita repercussão nas redes sociais na segunda semana de janeiro de 2012 se deu no *Big Brother Brasil* (programa transmitido pela Rede Globo). Na manhã de domingo do dia 15 de janeiro, após uma das tradicionais festas regadas a álcool, os participantes do programa Monique Amim e Daniel Echeniz trocaram carícias embaixo do edredom, somente vistas por assinantes do *pay-per-view* (exclusivo para o sistema de canal a cabo). Durante o domingo e a segunda-feira, houve um grande debate no Twitter: o assunto que chegou ao topo dos mais comentados foi o de que Daniel teria abusado de Monique, então alcoolizada e inconsciente. Na segunda-feira, a polícia foi até a emissora interrogar os participantes, o que levou à eliminação do modelo do programa. Durante aquela semana, o assunto permeou as redes sociais com a questão "Estuprou ou não?", e foi debatido na imprensa nacional[2] e internacional. Este é outro exemplo prático de convergência digital e de quanto a repercussão *on-line* cruza outras mídias.

Esta convergência também está presente nos jornais, um meio totalmente *off-line*, mas que aborda os tweets mais relevantes do dia anterior sobre um determinado assunto; há alguns que trazem uma seção exclusiva. As rádios também entraram na convergência e transmitem seus programas ao vivo com a interação direta dos ouvintes por intermédio das redes sociais. Um exemplo: "@radioxyz, Avenida 23 de Maio engarrafa no sentido Centro" é uma maneira de trazer uma informação relevante para outros ouvintes no momento que o fato está acontecendo. Também é possível fazer uma pergunta para um entrevistado ao vivo: "@radioxyz, quais os planos que o ministro tem para a duplicação das rodovias federais?". Trata-se da permissão de participar e se envolver com assuntos de interesse da população.

A tecnologia favoreceu a opinião pública no sentido de dar voz e importância a cada opinião emitida por qualquer indivíduo. Permitiu o engajamento cívico, dando o direito de todas as pessoas participarem do debate, independentemente de onde estejam ou do grupo de interesse em que atuem. As redes sociais trouxeram uma grande bem, que é a possibilidade de mobilização em torno do objetivo de demandar medidas sobre determinado assunto. Estes fatores importantes para a

---

2 Informação baseada em notícia publicada no site Globo.com. Disponível em: <http://g1.globo.com/jornal-nacional/noticia/2012/01/inquerito-apura-se-houve-crime-de-estupro-no-big-brother-brasil.html>. Acesso em: 15 de setembro de 2012.

sociedade, que chamamos de engajamento, participação e mobilização, foram perdidos ao longo dos últimos trinta anos. Ao analisar a história política brasileira, os jovens das décadas de 1960, 1970 e 1980, que vivenciaram a ditadura, não temiam brigar pelas condições políticas daquela época. Não se importavam em apanhar ou ser presos, pois o principal objetivo era falar abertamente da corrupção, inflação, falta de democracia, etc. Pelo fato de esses jovens terem brigado tanto e deixado grandes benefícios às gerações seguintes, tenho a impressão de que os da década de 2000 ficaram mais dispersos para discutir questões políticas, não exigindo tanto dos políticos.

As redes sociais permitem uma interação em tempo real, dando assim repercussão a uma ação acontecida do outro lado do mundo. É uma característica típica da globalização, que propiciou esse avanço das tecnologias, trazendo em sua esteira este imediatismo às comunicações. Dispositivos via celular também contribuíram para o "aqui e agora". Com estes fatores, política, economia e outros assuntos relevantes do dia a dia ganham destaque e repercussão por diferentes públicos no mundo todo.

Essas redes também têm estado presente em locais onde poucos podem falar, possibilitando a esses poucos ganharem voz. No mundo árabe, por exemplo, uma revolução foi iniciada na Tunísia pela internet. A Revolução de Jasmin, ou Revolução da Tunísia, derrubou o ditador local, e depois colaborou nas manifestações no Egito, pôs fogo na Líbia, no Irã e na Síria. Enfim, tudo isso via internet, tudo organizado por meio das redes sociais.

Primavera árabe – como tudo começou e a força da mobilização virtual

Em dezembro de 2010, pela força da opinião pública na internet, surgiu um novo movimento virtual, que promete ser uma tendência nos próximos anos. Trata-se da ciberguerra, ciberrevolução, ou "*wikirrevoluções*". Tudo começou em 17 de dezembro de 2010, quando o jovem tunisiano Mohamed Bouazizi – desempregado e revoltado com as péssimas condições de vida e o excesso de corrupção – ateou fogo no próprio corpo, fazendo de sua morte uma forma de protesto. A tragédia de Mohamed mobilizou o país, e foi dado início a várias manifestações, entre dezembro de 2010 e janeiro de 2011, que levaram à saída do presidente da República, Zine el-Abidine Ben Ali, ocupante do cargo desde 1987. Este fato foi chamado de Revolução da Tunísia, o estopim para o início da Primavera Árabe, envolvendo outros países árabes que viviam sob um regime de ditadura e sofriam com o desemprego, a pobreza e a falta de liberdade de expressão.

Com o sucesso obtido pela Tunísia, manifestantes da Argélia, da Jordânia, do Egito e do Iêmen investiram-se de coragem para buscar melhorias em seus países. O resultado foi satisfatório: no Egito, o presidente Hosni Mubarak renunciou em 11 de fevereiro de 2011, depois de 18 dias de protestos, findando seu mandato de trinta anos; na Líbia, o presidente Muammar al-Gaddafi foi o mais resistente, e, após fugir, foi morto com um tiro na cabeça após ser capturado no dia 20 de outubro. Após intensas pressões da população, o presidente do Iêmen, Ali Abdullah Saleh, no governo há 35 anos, assinou um acordo para deixar o poder. As manifestações se estenderam a outros países árabes.

Todos esses protestos foram realizados pela via de greves, manifestações nas ruas, passeatas, comícios, e, o mais surpreendente, a mobilização virtual, que, através das redes sociais – em especial Twitter, Facebook e You Tube –, conseguiu arregimentar um número maior de manifestantes, assim como chamar a atenção da imprensa internacional sobre as condições em que viviam aquelas pessoas, e assim pedir o apoio de organizações internacionais para medidas visando à solução de seus problemas. Tudo isso só foi possível graças ao debate gerado no mundo virtual. Interessante apontar que internautas fora da comunidade árabe também se engajaram na causa, contribuindo com a mobilização. Graças às redes sociais, a discussão se tornou mundial.

Desde a virada do século, a internet já prometia sua revolução, mudanças em comportamentos e hábitos para qualquer indivíduo e organização. As mídias começaram a se modificar, e surgiu um novo jornalismo, capaz de dar a notícia quase em tempo real. Claro que essa migração não foi tão simples como parece. Apesar do amadurecimento, o jornalismo ainda está se adaptando e estudando como devem ser a linguagem, a forma e o estilo do texto. Estamos falando de uma nova mídia, porque não é possível adequar a mesma linguagem de um jornal ou revista para os canais da internet. O público e o dispositivo são diferentes, e a dinamicidade também é outra.

Os jornalistas da era digital precisam entender que sua responsabilidade em relação à informação também aumentou. Afinal, a apuração da notícia e sua certificação – duas bases fundamentais do jornalismo – precisam ser mais sofisticadas, pois informação errada e mal checada pode comprometer a ética da organização, a credibilidade do emissor da informação e, ainda, trazer consequências danosas, difíceis de reverter.

Vou dar um exemplo, que muitos dos leitores devem ter acompanhado de perto ou, pelo menos, se lembrar muito bem: a queda do avião da TAM, vôo JJ3054, no dia 17 de julho de 2007. Este evento trágico demonstra a irresponsabilidade do jornalismo *on-line*. Nas seis horas que sucederam o acidente, as informações eram tão desencontradas, que o número de mortos – tanto os que estavam no voo, quanto os que estavam no prédio da TAM onde houve a colisão – discrepava a cada momento. Na busca pelo furo jornalístico, cada site falava uma coisa, sem atentar que, ouvindo ou lendo aquela notícia, havia famílias desesperadas, querendo saber se seu parente ou amigo estava ou não dentro do prédio ou do avião.

A queda do voo da TAM também foi representativa (apesar da tragédia) para demonstrar a força dos celulares e câmeras digitais de pessoas que estavam próximas e registraram os fatos, assumindo o papel de repórteres. Com os recursos tecnológicos, os cidadãos querem registrar o que está acontecendo, em especial situações de interesse público. Essa participação do público emitindo informação é o que alguns autores chamam de Jornalismo Cidadão. Não significa que tais emissores de informação ocuparão o espaço do jornalismo tradicional, mas, sim, uma contribuição para que o maior número de acontecimentos seja de conhecimento de todos.

Com a evolução do jornalismo digital, já apontamos a possibilidade de o leitor emitir sua opinião sobre uma notícia. Você já deve ter percebido, com certeza, que nos portais, blogs e fóruns há um espaço para inserir comentários. Conforme vimos, acredito que agora você concorda que isto permite às pessoas debaterem sobre um determinado assunto, independentemente de onde estejam, estou certa? Fica assim configurado, por essas teorias discutidas até aqui, que estamos falando de um espaço de opinião pública, no qual todos podem ler as repercussões como se estivessem lendo um grande mural.

Tempos atrás, o que a professora Amanda Gurgel, do Rio Grande do Norte, achava sobre a educação potiguar e do restante do País ficava somente na escola onde trabalhava e entre o grupo de colegas professores. Em maio de 2011, quando ela expôs aos deputados, em audiência pública, sua opinião sobre o descaso em relação à educação e as péssimas condições de trabalho dos professores, um vídeo foi gravado e colocado na internet. Em menos de dez minutos, milhares de pessoas já tinham assistido à gravação, mesmo antes de a sessão dos deputados ser finalizada. O assunto ganhou as redes sociais e a imprensa, o que permitiu que todos argumentassem e o debatessem. Este é mais um exemplo de como a imprensa foi pautada pela força e repercussão das opiniões nas redes sociais.

Aliás, nos últimos tempos, a imprensa tem se pautado com base nessa repercussão, ou seja, os assuntos que são mais debatidos ganham as páginas de jornal. As mídias sociais também têm trazido atores relevantes para participar de tais matérias, o que a imprensa chama de fonte. Também há Twitter que dissemina a busca por fonte relacionada a assuntos diversos, o que traz a possibilidade de todos participarem do debate na esfera pública.

Outro exemplo da força das redes sociais foi o caso da Luiza, que estava a centenas de quilômetros do Brasil, no Canadá. Ela ganhou força na internet, sem saber, e sem querer, por causa do seu pai, colunista social, que gravou um comercial para vender um empreendimento imobiliário em João Pessoa (PB). O comercial mostra o colunista em uma visita ao empreendimento com a família, "menos a Luiza, que está no Canadá". O vídeo caiu no You Tube no dia 12 de janeiro, e logo se popularizou. Em sete dias, a frase "menos a Luiza, que está no Canadá" foi citada 11 mil vezes.[3] A brincadeira tomou conta das redes sociais, e as pessoas só comentavam o assunto. Luiza teve de voltar para o Brasil, tamanha a repercussão, e foi assunto em televisão, rádio, jornais e, claro, na internet. A menina foi contratada para comerciais de tevê, e seu nome foi estampado em propagandas com a famosa frase. Eis mais um exemplo do que uma mensagem na internet é capaz de fazer.

Conceitos e diferenças nas mídias sociais

Para alimentar as informações *on-line*, o gestor de comunicação, de marketing, ou o diretor-geral da organização, especializado nas estratégias e planos de ação, deve conhecer as diferentes mídias sociais e como elas podem influenciar e contribuir com seu negócio. Há organizações que basta escrever uma única mensagem e, depois, dar um comando "cola e copia" em cada mídia social para que a comunicação digital esteja estabelecida. Este é um dos grandes erros estratégicos. Conheça a seguir as principais mídias sociais e saiba como proceder em cada um delas.

Também, como forma de esclarecimento, é importante mostrar a diferença entre mídias sociais e redes sociais, termos que no dia a dia se tornaram sinônimos, mas que, sem dúvida, se referem a coisas diferentes. É importante saber disso, mesmo que você os utilize como palavras similares.

Mídias sociais é o termo mais abrangente para referir-se a todas as ferramentas com interatividade e da geração de conteúdo por meio das novas mídias, que incluem computador, mobile, tablets e games. E as redes sociais constituem um tipo de mídia social.

3 *Luiza, que está no Canadá, vira hit e retornará para o Brasil.* Disponível em: <http://tecnologia.terra.com.br/noticias/0,,OI5563140-EI12884,00-Luiza+que+esta+no+Canada+vira+hit+e+retornara+ao+Brasil.html>. Acesso em: 25 de fevereiro de 2012.

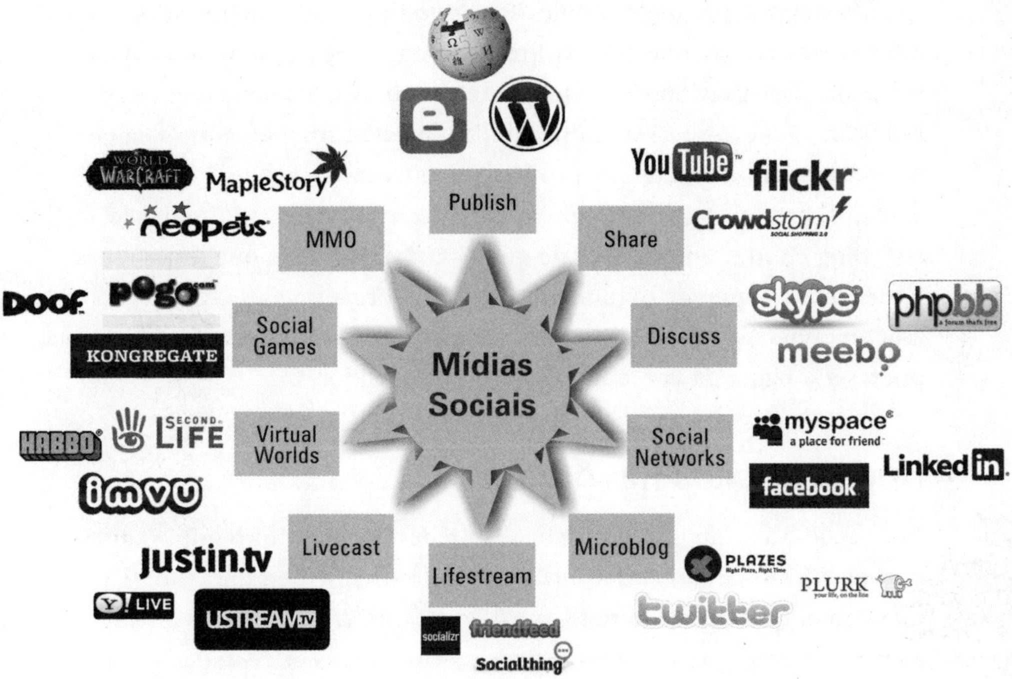

Blogs

Na trilha do compartilhamento de notícias, os blogs funcionam como se cada um decidisse abrir seu próprio jornal. Neles, quem define o cunho editorial é o autor do blog. Não é necessário dar satisfação a ninguém nem se preocupar se vai agradar ou não o leitor. Exponha sua opinião e a deixe livre para quem quiser ler.

Esse canal ganhou tanta força, que, hoje, as organizações já contemplam os blogs como importantes emissores de informação, incluindo-os em suas estratégias de comunicação. Alguns possuem audiência cativa sobre assuntos segmentados, como, por exemplo, maquiagem, cuidados com o recém-nascido, educação financeira, sustentabilidade, como administrar uma pequena empresa, cuidados para o corpo, etc. São inúmeros os blogs com assuntos segmentados, redigidos por pessoas que muitas vezes nem são jornalistas ou de qualquer área da comunicação, mas que estão ali para se expressar livremente sobre um tema do seu interesse.

Para abrir um blog é simples: faça o login gratuitamente (existem diferentes serviços, como WordPress e Blogger, entre outros), escolha o *layout* e demais detalhes de design, tenha em mãos o tema que deseja publicar, assegure-se de ter disponibilidade para alimentar aquele canal de informação, e inicie seu próprio jornal virtual, no qual você é o principal articulista, sem ninguém para dizer se está certo ou errado.

Blog é um exemplo claro de que estamos na era em que todos têm poder de se expressar livremente, e cabe às organizações atentar para esta tendência, pois o posicionamento de uma empresa ou instituição pode ser a pauta da vez, com efeitos multiplicadores.

Redes sociais na internet

Em paralelo aos blogs, encontram-se as redes sociais. Muito importante enfatizar *Redes Sociais na Internet*, pois, certo dia, me perguntaram: "Patrícia, qual foi a primeira rede social do Brasil?". À época, não quis ser a chata teórica, mas agora faz-se necessário esclarecer. As redes sociais são formadas por um agrupamento de pessoas ou organizações, que se unem com o objetivo comum de estabelecer relacionamento e debater assuntos de interesse, mesmo que sejam temas de pouca importância. Sendo assim, as redes sociais existem desde sempre, presentes nos clubes, sindicatos, reuniões de pais, etc.

Nos conceitos de redes sociais, você verá termos que fazem parte da sua essência, como laços fortes, laços fracos e capital social. Para melhor entender, laços fortes são determinados pela intensidade da relação estabelecida com os atores envolvidos, conquistada com confiança, tempo e nível de interação, sem considerar atributos como sexo, idade, classe social, religião, etc. Os fracos são manifestados pelas pessoas que estão presentes naquela rede, mas não têm um relacionamento estreito, profundo, nem interações contínuas, sempre independentemente da afinidade que há ou não com aquelas pessoas, mas apenas pelo nível de relação. Capital social é um conceito novo e ainda em discussão pelos estudiosos, porém, o que se sabe é que se trata do resultado obtido pelas interações dos indivíduos.

É importante entender as características e os conceitos das redes sociais para que você saiba lidar com elas corretamente. O termo rede social ficou mais bem difundido com a internet, pois permitiu uma maior interação entre as pessoas do mundo, independentemente do idioma, localização e suas preferências.

Então, pode-se dizer que a tecnologia permitiu que as pessoas assumissem um caráter participativo. Elas presenciam um fato positivo ou negativo, registram e transmitem para outros, que dão seu posicionamento sobre aquela situação e aos poucos vão envolvendo outras situações.

As redes sociais podem funcionar dentro de redes, assim divididas: de relacionamento, profissionais, comunitárias (do bairro), políticas, etc., cada uma de acordo com suas características.

Para você entender melhor, veja a descrição e como utilizar estrategicamente algumas das mídias sociais abaixo.

Orkut

Criada em 1994, pelo turco Orkut Büyükkökten, o Orkut já foi a rede social mais usada no Brasil, com cerca de 34,4 milhões de usuários. Desenvolvida para atender à necessidade americana de se relacionar, ela ganhou o gosto dos brasileiros e dos indianos. Até hoje, os brasileiros compõem o segundo maior número de usuários desta rede social no mundo, perdendo somente para a Índia. Por conta do sucesso, em 2008 o Google Brasil passou a ser responsável pela sua administração.

Quando o Orkut chegou ao Brasil, por volta de 2005, era algo novo, uma rede de relacionamento nunca vista. Cada usuário ganha uma página, na qual pode colocar fotos e compartilhar recados, além de ter uma série de comunidades de interesse, criadas pelos próprios usuários a fim de provocar interação. Sendo assim, as pessoas entram em fóruns de discussão de qualquer assunto, criando assim um engajamento.

No Orkut é possível discutir assuntos de forma mais aprofundada a partir das comunidades criadas e acompanhar a discussão. "Eu coloco minha opinião e o outro debate em cima daquilo." Assim sendo, o Orkut é uma ferramenta adequada para o debate e a formação da opinião pública.

No âmbito da comunicação organizacional, as organizações conseguem montar suas comunidades e abastecê-las com informações, abrindo-as para trocas de experiências, assim como administrar, em um mesmo espaço, comunidades criadas pelo seu próprio público.

Facebook

Fundado em 2004 pelos ex-estudantes da Universidade de Harvard Mark Zuckerberg, Dustin Moskovitz, Eduardo Saverin e Chris Hughes, esta rede social foi uma criação destinada a atender os estudantes dessa universidade, depois expandida para o Instituto de Tecnologia de Massachusetts, Universidade de Boston e Boston College e a rede de escolas Ivy League. Em 2005, outras universidades aderiram, mas os usuários somente podiam ingressar com *e-mails* universitários, como *.edu.ac, .uk*. Em 2006, a rede foi aberta a outros estudantes.

De acordo com a comScore,[4] em divulgação de janeiro de 2012, o Facebook possui aproximadamente 700 milhões de usuários, sendo no Brasil em torno de 36 milhões.[5]

O Facebook destaca-se por permitir uma maior aproximação e discussão de assuntos da vida pessoal do ser humano, dando liberdade para se expor o que é relevante para cada um: "Eu gosto de cachorro... eu acho isso engraçado... veja que notícia interessante... eu gosto daquele bar ou restaurante...", e, ainda, que as pessoas organizem festas, encontros, e convidem pessoas pelo mesmo ambiente, para depois colocar as fotos do evento para que todos as vejam. Trata-se de uma rede na qual você dissemina a informação de forma mais rápida para sua comunidade de amigos. O Facebook possibilita reunir no mesmo ambiente amigos e colegas da escola, do trabalho, da academia, etc. a fim de que todos compartilhem momentos da vida pessoal, assim estreitando as relações.

As organizações têm utilizado o Facebook para criar aproximação com seu público, de forma amigável e conquistando confiança na relação. Este é um dos objetivos das redes sociais: criar aproximação com confiança e reciprocidade.

---

4 comScore é um serviço de medição do mundo digital. Disponível em: <http://www.comscore.com/por/>. Acesso em: 28 de julho de 2012.

5 Da redação da revista *Exame*. Facebook ultrapassa oficialmente o Orkut no Brasil. Disponível em: <http://exame.abril.com.br/tecnologia/noticias/facebook-ultrapassa-oficialmente-o-orkut-no-brasil>. Acesso em: 18 de fevereiro de 2012.

Twitter

Desenvolvido por Jack Dorsey em 2006, o Twitter é uma rede social cuja principal característica é o uso de microblogging, ou seja, o usuário deve responder "What is Happening?" (O que está acontecendo?) em 140 caracteres, ou seja, os chamados tweets. O usuário possui um nickname, @patriciatrixe, por exemplo, e pode postar suas informações via website, SMS, smarthphone ou tablets.

Por meio do Twitter, uma mensagem postada pode ser replicada (tuitada) para outras pessoas, que podem tuitar para outros amigos, permitindo a disseminação da informação para um maior número de pessoas. Esta rede social opera com alta velocidade, e responder a uma mensagem de três horas atrás, por exemplo, pode ser um atraso – dependendo do tema do debate – pela dinamicidade apresentada pela ferramenta.

Diferente do Facebook, o Twitter é um canal de opinião sobre diversos assuntos, não somente os pessoais. Aliás, não cabe muito bem no Twitter, ao contrário do Facebook, ficar detalhando sua vida pessoal. Pelas pesquisas, percebo que os tuiteiros gostam de debater assuntos relevantes e de interesse de um grupo maior. Mas o assunto que rola por lá não são somente os sérios, existem as sacadas de humor, o que deixa o espaço mais descontraído.

No Twitter, as pessoas seguem você pelo seu assunto de interesse, o que não significa que elas te conheçam ou não pessoalmente. Ao contrário do Facebook, que requer que as pessoas tenham um elo (mesmo que seja assunto de interesse) no mundo externo.

Linkedin

No mercado desde 2003, o LinkedIn é uma rede social diferenciada, focada exclusivamente nos relacionamentos profissionais (networking) por meio de contatos próximos ou distantes, mas todos objetivando a troca de conhecimento. Entre os destaques do Linkedin está a possibilidade de as empresas buscarem profissionais, como também de estes se candidatarem a vagas.

Além disso, o espaço dispõe de debates referentes a áreas de atuação. Basta entrar nas comunidades e interagir com as pessoas em tempo real, facilitando aos profissionais acompanhar as tendências e as práticas aplicadas no mercado.

Nesta rede social não há espaço para exposição da vida pessoal ou para exposição de fotos pessoais ou familiares. Nela, a dinâmica é outra, e estreitamente ligada ao trabalho. Isto não faz com que a rede fique chata, mas focada em pessoas que queiram debater puramente assuntos profissionais.

Como usar a opinião pública a seu favor

Cair na "boca" da opinião pública de forma positiva é o segredo que todos querem conhecer. E seguir seus princípios é o melhor caminho para isto. Como dito, opinião pública é formada por um grupo de pessoas ligadas pelo mesmo objetivo, que têm como proposta expor seus argumentos, debatê-los, para que talvez novos pontos de vista surjam para se chegar a uma conclusão. Tal debate pode ter fim ou não, ou demorar dias ou meses. De qualquer maneira, resumidamente, a opinião pública parte do pressuposto da exposição do conjunto de argumentos.

As organizações, independentemente da situação em que estejam – em crise ou não –, devem abastecer a esfera pública, ambiente de formação da opinião pública, com informações corretas, coerentes e estrategicamente construídas para que o público tome conhecimento de tais mensagens. Para abastecer a esfera pública, o segredo eficaz é um plano eficiente de comunicação. É importante que as notícias positivas das organizações também "caiam na boca do povo", mas, para tanto, é preciso contar e envolver os públicos de interesse. Isto vale tanto para as redes sociais quanto para os meios tradicionais da imprensa.

Talvez você questione que notícia positiva não ganha a mesma repercussão que assuntos polêmicos. Concordo. Mas ela não pode deixar de ser contada, pois é a partir de ações positivas que se constrói a identidade de uma marca e, por consequência, sua imagem. Tais ações e notícias se transformam em créditos para quando surgir uma crise, que a empresa poderá usar para que sua marca não saia arranhada. Mas este será o tema do próximo capítulo: como chegar à boa reputação de uma marca.

CAPÍTULO 2

CRISE: O QUE É, CONCEITOS E IMPACTOS

O conceito de crise empresarial ou organizacional é um assunto relativamente novo nas áreas de comunicação, administração, economia e relações públicas. Quando se fala em crise, o que os gestores visualizam são as financeiras e econômicas. Já estive em contato com vários diretores de empresas que, ao me ouvir falar do meu trabalho em gestão de crises, me perguntavam: "Você faz leitura ou previsão da queda ou alta da bolsa de valores?"; "Faz análise de mercado financeiro?"; "O que tem a ver comunicação com finanças?"; "Minha empresa não anda bem, e estou precisando de ajuda para não entrar em crise". Poucos percebem que crise não está somente ligada à área econômica. Uma minoria dos gestores reconhece que as crises de imagem podem dar início a uma crise financeira quando não é bem administrada.

As grandes crises de imagem, de maior repercussão, começaram a ter destaque a partir do final do século XX, e o caso Tylenol, em 1982, se tornou um marco nesta história, pois chamou a atenção sobre as vulnerabilidades de um negócio e sua dimensão para os efeitos de uma marca.

A Johnson & Johnson, conhecida por seus produtos de qualidade e como uma marca de confiabilidade, mostrou, sem querer, às empresas que qualquer organização, inclusive aquelas aparentemente mais seguras, pode sofrer abalos nos negócios e, consequentemente, na imagem[6] e na reputação[7]. Para quem não conhece este caso vou dar um resumo.

No dia 29 de setembro de 1982, descobriu-se que uma pessoa tinha morrido ao usar o comprimido Tylenol (algumas embalagens tinham sido contaminadas com cianeto e vendidas na região de Chicago, nos Estados Unidos). Com esta informação, dois dias depois, a empresa mobilizou a retirada de 32 mil embalagens, além de investigar a origem dos lotes. Para a época, a empresa foi ousada, pois tinha 35% do mercado americano e vendia US$ 400 milhões só deste produto. Além de interromper as propagandas, a Johnson & Johnson abriu as portas da empresa para responder a todas as questões da imprensa, como duas das ações empreendidas. Diante de tanta transparência e confiança, a mídia passou a ser aliada do caso. Os gestores não estavam somente preocupados com o impacto financeiro e a reputação da empresa, mas, acima de tudo, com as vidas humanas envolvidas no caso. Em poucos meses, a J&J recuperou o mercado.

Ao longo dos últimos vinte anos, muitas crises surgiram, ameaçando a reputação e a sobrevivência das empresas. Há alguns casos que são típicos para os estudiosos de crise, porque contribuem para aprender o que fazer e não fazer durante um momento de conflito. Por exemplo: a pílula de farinha, o anticoncepcional Microvlar, fabricado para teste pela Schering do Brasil, que acabou chegando às mãos dos consumidores (1998); a retirada do anti-inflamatório Vioxx, do laboratório Merck & Co, do mercado, por causar ataques cardíacos e derrame após seu uso por 18 meses; o recall do Fox da Volkswagen, por conta do banco traseiro que, ao ser manuseado, feria o dedo do consumidor, que atingiu oito pessoas. Há também casos da indústria química, que fazem parte dos *cases* de estudo, como o episódio do vazamento de óleo do petroleiro Exxon Valdez, no Alasca (1989), e o acidente nuclear de Chernobil (1986).

---

6 A imagem de uma organização é construída pelo reflexo da identidade corporativa. Este conceito será mais bem desenvolvido no Capítulo 3.

7 De modo geral, reputação é consequência da imagem. Pode ser boa ou ruim, variando conforme sua construção. Assunto mais bem abordado no próximo capítulo.

Conceito de crise

Mas o que é, exatamente, uma crise? A palavra "crise" vem do grego *krisis,* e significa decisão, julgamento. A palavra chegou ao português por meio dos substantivos "crise", "crítica", "critério" e seus derivados. Para explicar o sentido da palavra, no dicionário *Michaelis,*[8] entre as definições do termo estão: "Momento crítico ou decisivo. Situação aflitiva. Conjuntura perigosa, situação anormal e grave". A medicina foi a primeira a usar a palavra, mais tarde estendida para outras áreas, como economia, política, ciências sociais, psicologia.

A crise, independente de sua natureza, é um momento de alerta, mudança, instabilidade, que requer uma tomada de decisão rápida para não deixá-la ganhar força e evoluir. Em uma conversa com um grupo de estudo de psicologia, também ouvi uma ótima definição para crises: "Crise pode ser encarada como um momento de ameaça ou uma oportunidade". Depende das suas ações e das atitudes tomadas. Quem conduz o rumo da história é o próprio gestor – no caso das organizações. Explicando melhor, a crise pode ser uma oportunidade para uma organização se sair mais forte ao tomar as decisões certas.

Para o mundo organizacional, crises podem ser econômicas, políticas ou financeiras, mas todas têm reflexo na organização, denominadas crises empresariais. Hoje, qualquer empresa, independentemente do seu porte, está sujeita a sofrer uma crise, que pode afetar uma pequena comunidade ou ter impactos maiores. Suas consequências dependerão dos riscos envolvidos no negócio e de quanto a organização se precaveu anteriormente.

Já parou para pensar que seu negócio possui riscos? Você sabe quais são? Conseguiu preveni-los para que não gerem uma crise?

8 1. *Med.* Momento decisivo em uma doença, quando toma o rumo da melhora ou do desenlace fatal. 2. *Med.* Alteração súbita, comumente para melhora, no curso de uma doença aguda. 3. Momento crítico ou decisivo. 4. Situação aflitiva. 5. *Fig.* Conjuntura perigosa, situação anormal e grave. 6. Momento grave, decisivo. 7. *Polít.* Situação de um governo que se defronta com sérias dificuldades para se manter no poder. *C. anafilactoide:* estado mórbido cujos sintomas se assemelham aos da anafilaxia, e que é causado por coloidoclasia. *C. coloidoclástica:* o mesmo que *coloidoclasia. C. de nervos:* ataque de nervos. *C. de trabalho:* complicação ou embaraço nas relações sociais decorrente da falta de serviços em que se empregam as classes menos abastadas. Disponível em: <http://michaelis.uol.com.br/moderno/portugues/index.php?lingua=portugues-portugues&palavra=crise>. Acesso em: 2 de julho de 2011.

A crise, na maioria dos casos, origina-se de um risco não administrado, calculado, minimizado ou prevenido. Deve-se deixar claro que crise é o desdobramento de um fato, ou seja, o assunto passa a ser uma crise quando ganha relevância, evidência e proporções maiores diante de seus diferentes públicos.

Essa instabilidade, além de colocar em risco a imagem e a reputação, estremece o clima organizacional,[9] mexe com a estabilidade da produção e cria rumores capazes de afetar o balanço financeiro de uma corporação, fazendo os *stakeholders* (públicos interessados no negócio) passarem a ter dúvidas quanto à sua integridade e ética.

As empresas devem reconhecer a possibilidade de seu negócio ter riscos, para que possam conhecê-los mais de perto, pesquisando e analisando alternativas de precaução. Partindo deste princípio, é possível criar, conscientizar e evitar danos futuros.

Para o autor americano Luecke, a crise é uma mudança – repentina ou gradual – que resulta em um problema urgente que deve ser resolvido imediatamente, ou, pelo menos, as primeiras providências devem ser tomadas para conter, minimizar ou parar o fato que esteja causando a crise. "Para uma empresa, uma crise representa qualquer coisa com potencial para causar danos súbitos e graves a seus funcionários, à sua reputação ou a seu resultado financeiro."[10]

Já o autor brasileiro Roberto Neves[11] define crise empresarial como uma situação que surge quando a empresa realiza algo, de sua responsabilidade, ou deixa de realizar, que afeta, afetou, ou poderá afetar interesses de públicos relacionados à empresa, cujo fato tem repercussão negativa junto à opinião pública.[12]

---

9 "Clima organizacional constitui o meio interno de uma organização, a atmosfera psicológica e característica que existe em cada organização. O clima organizacional é o ambiente humano dentro do qual as pessoas de uma organização executam seu trabalho. O clima pode se referir ao ambiente dentro de um departamento, de uma fábrica ou de uma empresa inteira" (Chiavenato, *Administração geral e pública,* p. 273).

10 LUECKE, *Gerenciando a crise,* p. 12.

11 NEVES, *Crises empresariais com a opinião pública.*

12 Opinião pública é o resultado da troca de comunicações, argumentos e posicionamentos a respeito de um tema, que pode gerar conclusões positivas ou negativas por parte do público. O público é

Argenti assim define o conceito:

> crise é uma catástrofe séria que pode ocorrer naturalmente ou como resultado de erro humano, intervenção ou até mesmo intenção criminosa. Pode incluir devastação tangível, como a destruição de vidas ou ativos, ou devastação intangível, como a perda da credibilidade da organização ou outros danos de reputação.[13]

A crise também pode ser considerada do ponto de vista interno, como classifica Neves:

> Se, na tentativa de equacionar esses mesmos problemas, a empresa fizer algo que afete os interesses dos públicos e que isso tenha repercussão negativa junto à opinião pública, aquilo que era até então uma crise interna se transforma em uma crise empresarial de opinião pública.[14]

Assim, percebe-se que uma crise mal administrada ou não percebida internamente ganha forças e atravessa os portões da empresa para um estágio mais avançado, de maior repercussão, chegando muitas vezes à mídia. Mesmo as pequenas crises, que se apresentam somente internamente, requerem atenção. Esta atenção pode ser assim expressa: primeiro, o empresário indica que há preocupação, cuidado e respeito com seus colaboradores, e, segundo, demonstra a importância e a preocupação com sua marca, em não deixar que nada a afete, mesmo que sejam pequenos episódios.

Para se ter ideia, pode ser considerado uma crise: falhas humanas e de produção, má administração, defeitos de produtos, mau atendimento, pós-venda ruim, panes tecnológicas, catástrofes, acidentes no local de trabalho (explosões, incêndios, vazamento de gás), crimes ambientais e contra o poder público, vandalismo, falta de ética (venda de produto

---

formado por todas as pessoas de modo geral. Em caso de determinados temas, em especial os que envolvem organizações, o público pode ser aquele interessado e envolvido diretamente.

13 ARGENTI, *Comunicação empresarial,* p. 259.

14 NEVES, *Comunicação empresarial,* p. 33.

com matéria-prima ilegal, corrupção, desvio de dinheiro, não pagamentos de impostos), etc. A lista pode ser extensa dependendo do ramo de atuação da organização.

Riscos nas organizações

Existe uma grande confusão na definição entre riscos e crises. Para melhor entendimento em relação aos processos de gestão e gerenciamento de crise, faz-se necessária a definição dos conceitos, assim como brevemente buscar na história sua origem.

Risco é uma ameaça latente a um indivíduo ou organização, é um perigo sem controle, que pode se tornar concreto a qualquer momento. De acordo com o sociólogo alemão Ulrich Beck,[15] riscos são reflexos da globalização, do excesso de industrialização, produzidos pelo próprio homem. Para Anthony Giddens, são ameaças, cujas consequências são incertas, geradas pelo próprio capitalismo, no desejo de produzir mais e mais, sem ter controle nem noção de quais os problemas para o mundo.

Vamos detalhar um pouco melhor os conceitos destes dois sociólogos, pois ambos têm sido fundamentais nos estudos que envolvem os riscos produzidos pela industrialização, ou seja, pelo homem, e, claro, como já visto, despertam a possibilidade de desencadear crises. Para entender melhor, vamos a uma rápida análise econômica na história da humanidade.

A Revolução Industrial, que se iniciou na Inglaterra, em meados do século XVIII (1760), trouxe uma evolução dos processos produtivos, com mudanças significativas nos âmbitos sociais e econômicos. A tecnologia mostrou sua eficiência com várias invenções – por exemplo, as máquinas a vapor – que permitiram auxiliar o trabalho humano e, em alguns casos, até mesmo substituindo pessoas nas atividades mais repetitivas. Era o início da alta produção, intenso consumo e busca por lucros.

---

15 Autor que desenhou a teoria da Sociedade Global dos Riscos.

Esta revolução, que marca o fim do feudalismo e o início do capitalismo, caracteriza-se pelo processo de transformação, acompanhado por notável evolução tecnológica. Trata-se de uma fase de intensa mudança, que pode ser divida em três fases:

- *1760 a 1850* – O movimento restringe-se à Inglaterra, com ênfase na produção de bens de consumo, especialmente têxteis, e na energia a vapor.
- *1850 a 1900* – O movimento ultrapassa as fronteiras inglesas, atingindo países da Europa, da América e da Ásia: Bélgica, França, Alemanha, Estados Unidos, Itália, Japão e Rússia. Começam a despontar a concorrência, a indústria de bens de produção, as ferrovias e as novas formas de energia, como a hidrelétrica e a derivada do petróleo. O transporte também se revoluciona, com a invenção da locomotiva e do barco a vapor.
- *1900 até hoje* – Surgem conglomerados industriais e multinacionais, inicia-se a automatização da produção, nasce a produção em série, explode a sociedade de consumo; as indústrias química e eletrônica, a engenharia genética e a robótica se desenvolvem significantemente.

Nesses três períodos, o que se vê é um momento de grande transformação, não somente para a indústria, mas principalmente em relação a novos hábitos, novas formas de trabalho, quebras de paradigmas, o que trouxe também muita revolta e problemas com a população. Afinal, trata-se de um período no qual houve a migração da produção manufaturada, feita principalmente por famílias ou pequenas fábricas, para uma produção mais tecnológica, substituindo o homem por máquinas.

A partir do século XIX, passou a predominar o sistema econômico chamado capitalismo, cuja força e ascensão se deram ao longo de todo o século, apesar das guerras e revoluções ao redor do mundo.

Daremos mais foco à fase recente do capitalismo: a globalização, que despontou com força no fim do século XX por meio do avanço das comunicações (em especial a internet), transportes e novas tecnologias. O industrialismo despontou despertando melhores condições de vida, mais consumo e o direito de compartilhar produtos de outras localidades do mundo. Era o início do livre acesso e do direito de ir e vir.

Esta evolução da indústria, da tecnologia, dos transportes, dos meios de produção etc. era inevitável. A questão maior é que o avanço do capitalismo trouxe riscos não mensuráveis – incertezas e falta de controle pelo excesso de produção –, como aqueles ao meio ambiente, à produção, estes oriundos da falha humana, etc. Com o surgimento de novos meios de produção, de novas formas de realizar um determinado trabalho e de novas matérias-primas nascem riscos não calculados, que serão percebidos em curto, médio ou longo período. Os riscos, na maioria dos casos, surgem pelo fato de não ter havido tempo suficiente para mapear, analisar e pesquisar sua natureza e consequências.

Beck destaca principalmente três riscos globais:

1. Conflitos em torno da destruição ecológica decorrente do desenvolvimento industrial, como efeito estufa, alimentos geneticamente modificados.
2. Riscos relacionados à pobreza, à fome e à falta de habitação.
3. Riscos oriundos da ampla distribuição de armamentos e armas de destruição em massa, tais como as armas de fogo, terrorismo, bomba nuclear, etc.

Entre os riscos globais citados, podemos destacar como exemplo que requer atenção: poluição da camada de ozônio, efeito estufa, manipulação genética, transplante de órgãos, desaparecimento de espécies animais, diminuição dos recursos energéticos, intenso uso de agrotóxico, contaminação de alimentos, água, etc.

Após os problemas econômicos – crise dos alimentos (final de 2007 e início de 2008), crise da economia americana (final de 2008 e início de 2009) e a crise financeira da Europa em 2011 –, Beck, em seus artigos recentes, tem apontado as crises financeiras econômicas mundiais – que impactam a economia mundial e, consequentemente, milhares de pessoas – como um quarto tipo de risco global.

A falta de controle gera vulnerabilidades em uma organização, ou seja, situações que são suscetíveis de ocorrer dentro de um negócio, como contaminação de alimentos, alimentos adulterados, má qualidade dos nutrientes, falta de controle dos processos, falhas humanas dentro do processo de produção, etc., e a concretização de vulnerabilidades como essas gera crises institucionais. Algumas empresas são mais vulneráveis que outras no que diz respeito a se envolver em uma crise.[16] Fazem parte dos grupos de risco as empresas:

- Que têm enfrentado crises subsequentes.
- Atuantes em áreas bastante controladas.
- Atuantes na área de produtos farmacêuticos e de produtos alimentícios.
- Fabricantes de produtos suspeitos de provocar doenças.
- Que lidam com dinheiro dos consumidores.
- Cuja atividade ou operação passa pelo meio ambiente.
- Que trabalham com matéria-prima de origem animal.
- Que usam animais para pesquisa.
- Com dificuldades financeiras.
- Dirigidas por pessoas de alta exposição na mídia.
- Com rápido crescimento no mercado.
- Líderes.
- Sem código de ética.
- Novas ou em áreas novas de atividade.
- Sem boa política de recursos humanos.
- Que não têm relacionamento externo.
- Com alta rotatividade de pessoas.
- Sem culturas de controle, qualidade e comunicação empresarial.

16 NEVES, *Crises empresariais com a opinião pública*, p. 63-64.

Em razão das características da globalização, os riscos, que antes estavam somente no âmbito local, ultrapassaram fronteiras de espaço, tempo e das redes de comunicação, ganhando escala mundial.

A diferença dos riscos entre os séculos XX e XXI é que a repercussão e os problemas são maiores, e, quando desencadeados, geram uma crise de grandes consequências, tanto para a população como para as organizações. No que tange a estas últimas, nos dias atuais, a repercussão ganha, em questão de minutos, escala mundial.

A globalização também trouxe a sociedade da informação, ou seja, as pessoas estão mais conectadas e são emissoras e retransmissoras de informações pelo mundo afora. Além disso, a maioria dos locais do mundo está interligada na Rede. Como visto no Capítulo 1, as pessoas passam a ter voz representativa com a internet, e um grande poder de denunciar riscos não administrados ou ignorados pelas organizações.

O despreparo em lidar com ameaças provoca uma avalanche de sérias consequências, pois um pequeno fato isolado pode ganhar proporções inesperadas, dependendo do tempo de resposta e da ação correta a ser realizada.

Não é preciso ter medo, é possível mapear os riscos do seu negócio, mas, para isso, é necessário frieza para ver e ouvir. Para descobrir as vulnerabilidades do seu negócio, converse com as pessoas da produção e levante o que pode dar errado, ouça o chão de fábrica, o porteiro, a faxineira, o recursos humanos, a área de logística, etc. Fazer este mapeamento é um trabalho árduo, que, às vezes, pode levar meses, dependendo do tamanho do negócio. Um consultor externo é sempre eficaz para visualizar ameaças que estão diante de nós todos os dias, pelo fato de vivenciar isso no seu dia a dia e ter se acostumado com os processos nem sempre vistos e entendidos por quem está à frente de um negócio.

Por ser este mapeamento um tema novo na administração das organizações, independentemente do setor em que atua, a dificuldade é entender os riscos do negócio e saber como lidar com eles, no que diz respeito à prevenção e às medidas prévias para contê-los. Trata-se de um trabalho chamado gestão de riscos. Em algumas organizações, dependendo do setor em que atua, há um departamento especializado em fazer esta gestão, que também pode ser chamada de auditoria de riscos, como, por exemplo, acontece nos setores químico, petroleiro, farmacêutico, de energia, etc. O trabalho de gestão de risco é uma tarefa multidisciplinar, que envolve, além da comunicação, profissionais especializados naquela área capazes de levantar riscos e apontar soluções para preveni-los e minimizá-los; também pode incluir médicos, psicólogos, sociólogos, administradores, etc. A comunicação, nosso foco de estudo, traz à tona os reflexos daquele risco à reputação da marca.

Gestão do risco não é preocupação e prioridade somente da organização. Trata-se de um trabalho conjunto, que envolve governo, pesquisadores, organizações sem fim lucrativo, organizações internacionais, comunidade e sociedade.

A preocupação de autores como Beck, Giddens e Bauman é a de que as consequências da modernidade são difíceis de prever, porém, há a necessidade de se chamar a atenção para que: a indústria reveja seus processos de produção, adotando elementos mais rigorosos de controle, revendo seus sistemas de gestão; o governo coloque na pauta de discussão e tome medidas para que tais ameaças não surjam; organizações sem fins lucrativos estejam engajadas na busca de solução. Somente com todos os envolvidos é possível trazer os problemas à discussão coletiva.

Comunicação como medida de prevenção

A comunicação torna-se um fator fundamental nesse processo, pois o risco, ao se transformar em tema de discussão e reflexão na esfera pública, abre possibilidade para o debate, o diálogo, a negociação e, por fim, a busca de soluções, ou, pelo menos, a tentativa de se elaborar medidas de precaução.

Todo e qualquer risco adquire proporções mais alarmantes quando se transforma em assunto de interesse público, gerando esferas de discussão e debate.

Se as consequências prováveis dos riscos não forem debatidas por todos aqueles direta e indiretamente afetados, dificilmente se poderá evitar danos irreversíveis.

Neste caso, a mídia se torna fundamental para trazer à tona esses riscos, a fim de instaurar uma esfera pública, e, consequentemente, contribuir para que atitudes sejam providenciadas e cobradas diretamente das corporações, como também exigir que o governo e demais órgãos controlem e fiscalizem tais ações.

O risco só adquire dimensão de problema público quando é tematizado como algo de interesse de todos. O público está diretamente envolvido na ameaça e passa a fazer parte do problema. Sendo assim, surge a necessidade da conversação e do debate para que medidas sejam cobradas. A esfera pública[17] tem papel fundamental nesse processo de cobranças de ações para minimizar riscos futuros.

A esfera pública, como explica Habermas, não é uma organização ou instituição com poderes, nem estruturada normativamente, capaz de alterar circunstâncias.[18]

Esfera pública[19] é uma estrutura comunicacional cujo agir é orientado pelo entendimento. Para se chegar a um senso comum, são necessárias articulações deliberativas de argumentos visando solucionar, ou melhor, entender um problema específico. Os indivíduos apresentam seus pontos de vista e perspectivas para diferentes atores, que, por sua vez, também têm direito de expor seus posicionamentos sobre temas de interesse geral. Posteriormente, abre-se espaço para o debate e a construção de novos argumentos, criando-se assim a possibilidade de se chegar à compreensão e à solução do problema coletivo.

---

17 Esfera pública é um sistema de alarme dotado de sensores não especializados, porém sensíveis no âmbito de toda a sociedade. Na perspectiva de uma teoria da democracia, a esfera pública tem que reforçar a pressão exercida pelos problemas, ou seja, ela não pode se limitar a percebê-los e identificá-los; deve, além disso, tematizá-los, problematizá-los e dramatizá-los de modo convincente e eficaz, a ponto de que sejam assumidos pelo complexo parlamentar. E a capacidade de elaboração dos problemas, que é limitada, deve ser utilizada para um controle ulterior do tratamento dos problemas no âmbito do sistema político. (Habermas, *Direito e democracia*, p. 91).

18 Trata-se de uma "rede adequada para a comunicação de conteúdos, tomadas de posição e opiniões; nela os fluxos comunicacionais são filtrados e sintetizados a ponto de se condensarem em opiniões públicas" (Habermas, idem).

19 A esfera pública constitui-se através da atividade comunicativa quando diferentes públicos ou indivíduos se organizam em redes comunicacionais articuladas, com o objetivo de discutir os problemas ou questões que os afetam, assumir um posicionamento, trocar argumentos e justificá-los diante das interrogações feitas pelos parceiros de interação (Habermas, *apud* Marques, *A deliberação pública e suas dimensões políticas e comunicativas: textos fundamentais*, p. 16).

O ideal é que a conclusão dos fatos não se limite somente ao desenvolvimento técnico, mas, sim, permita a participação de diferentes atores para que se possa chegar a um objetivo que esteja em consonância com o bem de todos.

É este processo de argumentações, no qual as conversações articulam-se em rede, que dá origem a uma esfera pública voltada para a comunicação de opiniões, demandas e interesses. Os atores passam a ter um posicionamento sobre os riscos e os papéis de cada um dos envolvidos, sejam empresas, organizações ou autoridades políticas.

A partir do debate e da exposição do problema coletivo, abre-se caminho para a cobrança de medidas e ações rápidas para que ameaças não surjam. A mídia, incluindo as redes sociais, é uma estrutura comunicacional importante para a exposição dos pontos de vista e para o surgimento de outros argumentos. Trata-se de uma arena em que todos têm a oportunidade de visualização dos fatos e opiniões, além de ser a responsável pela manutenção constante de ciclos de debates até que se chegue a um entendimento acerca de um problema de interesse geral.

Aos poucos, os riscos têm alcançado repercussão, sobretudo quando estão sob os holofotes repercussivos dos meios de comunicação. As companhias internacionais e os governos têm sofrido pressão da esfera pública mundial no que diz respeito à mudança de atitudes. "A participação individual-coletiva no contexto global é decisiva e notável: o cidadão identifica no consumo a senha que o autoriza a intervir politicamente em qualquer hora ou local."[20]

Nesse processo, os indivíduos não conseguem ser diretamente ativos para provocar uma mudança de trajetória, sendo necessária a repercussão na mídia para convocar um debate em torno de um risco. Segundo Beck, os protestos são intermediados pelos meios de massa. Os riscos nascem, e a mídia tem o poder de apresentar a questão para ser discutida, avaliada e reavaliada, chamando a atenção dos atores envolvidos.

---

20 BECK, *O que é globalização*, p. 130.

Notícias relacionadas aos riscos facilmente ganham espaço nos veículos de comunicação, pois o relato marca um assunto atual, imprevisível, tem peso social e impacto político-econômico, abrangência local e mundial, além de vários atores estarem envolvidos para a tomada de decisão. Dessa forma, milhares de pessoas são envolvidas em razão das consequências e da possibilidade de o caso evoluir.[21]

Apesar de os meios de comunicação serem fundamentais neste processo de mudança de atitudes e poderem cobrar responsabilidades de diferentes atores envolvidos no processo, a mídia, segundo Beck, ainda não sabe apresentar os riscos ao público.

Se para as organizações o assunto risco é novo – pois muitas vezes elas não sabem como lidar com os fatos –, para a imprensa é mais ainda. A busca constante pelo furo jornalístico, a quantidade de novos meios de comunicação e a velocidade dos fatos podem dar origem a informações erradas ou à repercussão de notícias polêmicas que geram mais angústia junto ao público leigo.

A pesquisadora britânica Jenny Kitzinger, que tem estudado e acompanhado o posicionamento da imprensa diante de riscos, afirma que não são todos os riscos que levantam o interesse dos meios de comunicação, e alguns deles, por não ser mais novidades, já não despertam a atenção das publicações, como a Aids, por exemplo. A notícia é publicada de acordo com o que é interessante para o veículo e desperta audiência, e não pela hierarquia e importância do risco à população.

Vários fatores impedem uma cobertura correta dos riscos na mídia, pois muitos jornalistas não veem a importância do assunto para o público. O caminho para um bom resultado seria o trabalho conjunto entre imprensa e pesquisadores, ter repórteres e editores especializados, como também editorias para acompanhar a evolução dos riscos relevantes. Há jornalistas que exageram na cobertura, trazendo inclusive um tom sensacionalista e, em alguns casos, criando pânico desnecessário. Em outras situações, os riscos são noticiados de acordo com os interesses das empresas de comunicação, tanto em âmbito político, econômico

21 SODRÉ, *A narração dos fatos: notas para uma teoria do acontecimento.*

quanto organizacional. "As perspectivas mostram que a mídia assume um papel de um espaço legítimo de discussão, em vez de um transmissor oficial de informações."[22]

Deliberação organizacional como prevenção de riscos

As organizações sonharam com a globalização, aumentaram a escala de produção, estimularam o consumo, multiplicaram seus lucros e, agora, se deparam com a sociedade de risco. Não calcularam que sua produção poderia poluir o meio ambiente, e que os recursos naturais ficariam escassos. Não compreenderam que a falta de controle de qualidade afetaria seus lucros, e que as crises ecológicas seriam cada vez mais preocupantes aos negócios. Isto não significa que agiram mal, mas poucas contemplaram os riscos em seus negócios por se tratar de um assunto novo, que requer atenção.

As empresas não têm planos de prevenção para enfrentar problemas graves. As consequências (efeitos colaterais) despercebidas na produção chamam a atenção para a possibilidade de ocorrer uma crise organizacional, ou seja, o desdobramento de um risco. Crise é o acontecimento de uma ameaça prevista, ou não, pela organização.

Como explica Giddens,[23] as ações do passado implicam o presente e têm reflexos no futuro. Apesar de o termo "sociedade do risco" ser novo, tal processo teve início (ou vem ocorrendo) há mais de um século – logo após a Revolução Industrial –, sendo que aumentar produção e visar lucros eram os únicos objetivos naquele momento. Os resultados só podem ser vistos hoje, diante das ameaças e incertezas de que, a qualquer momento, algo pior pode ocorrer.

As decisões sobre o negócio, os processos produtivos e os planejamentos futuros de crescimento, que antes ficavam somente restritos às salas de diretores e gerentes, hoje atingem outras fronteiras. Novos

22 KITZINGER, *Reserching risk and the media*, p. 61.

23 GIDDENS, *Modernidade e identidade*.

atores e grupos entraram em cena, influenciando na produção, no desenvolvimento tecnológico, na disposição do lixo e resíduos, entre outros aspectos. Tais grupos de influência têm conseguido resultados surpreendentes, apontando formas adequadas de produção e suas consequências.

Segundo Beck, a responsabilidade pelos riscos futuros é atribuída aos causadores, e não aos prejudicados e atingidos. Cabe aos primeiros apontar os prejuízos que suas empresas podem infligir ao mundo, assim como as soluções e respostas para tais riscos.

Buscar soluções tem sido o dever de todos os envolvidos, tanto das corporações, dos governos, de associações e organizações de influência. A sociedade de risco chama a atenção para que se repensem atitudes e valores, reavaliem-se os processos organizacionais e que todos se organizem para trazer medidas que assegurem um futuro protegido de ameaças.

Pelo fato de o assunto ser de interesse de todos, o caminho é definir regras ao debate para que as alternativas sejam decididas de forma política e democrática. É uma forma de a civilização ter consciência dos danos que ela mesma criou e buscar soluções.

A comunicação, ao mesmo tempo que tem o papel de trazer à tona as evidências dos riscos, também se torna relevante para a elaboração de soluções e medidas que possam conter ou minimizar riscos. "Juntamente com a ameaça e a percepção geral da ameaça, surge um interesse extremamente legítimo de preveni-la e eliminá-la."[24]

Conter e prevenir os riscos são caminhos a ser adotados por todos os envolvidos, entre eles: governo, associações, empresas, pesquisadores, e a própria comunidade.

> Os fóruns de negociação não podem abolir os conflitos nem os perigos incontroláveis da produção industrial. Entretanto, podem estimular a prevenção e a precaução e atuar rumo a uma simetria de sacrifícios inevitáveis.[25]

---

24 BECK, *Modernização reflexiva*, p. 66.

25 BECK, *Modernização reflexiva*, p. 43.

As redes sociais se tornam, na atualidade, um veículo fundamental para o debate, no qual diferentes pessoas, em qualquer lugar, de qualquer especialidade, têm a chance de participar e se engajar.

Mesmo diante de posturas diversificadas, otimistas e pessimistas, cabe buscar uma solução definitiva, ou, pelo menos, uma forma para minimizar o problema, e até quem sabe evitar os riscos. Por meio da negociação – medida de solução que deve ser compartilhada com todas as autoridades, empresas envolvidas, sindicatos, representantes políticos e opositores radicais –, novos procedimentos são experimentados, mudam-se as estruturas de tomada de decisão, debatem-se os erros e acertos. Mais do que estar dispostos a se engajar em negociações, é fundamental que todos estejam abertos a assumir compromissos.

Unindo os conceitos de Beck e de Habermas, como já citados anteriormente, a deliberação nas organizações, por intermédio do debate e da exposição de argumentos por diferentes esferas públicas, é uma das soluções para minimizar ou prevenir riscos, para assim evitar crises.

Para tanto, algumas atitudes devem ser repensadas institucionalmente: a informação não pode estar somente nas mãos dos especialistas, como no caso de diretores e gerentes de organizações, nem estes podem dizer o que é certo ou errado – este é o fenômeno chamado "desmonopolização da informação" –; os círculos de pessoas com permissão para participar não podem continuar fechados; é preciso abrir a possibilidade de discussão; a negociação deve ser aberta a diferentes agentes e vozes; as normas devem ser resolvidas de comum acordo, após discussões, debates, avaliações, votação, e, depois, sancionadas. Também se torna fundamental as organizações abrirem a discussão no âmbito interno, ou seja, entre colaboradores, fornecedores, comunidade e outros *stakeholders* engajados no assunto.

As soluções somente aparecem quando especialistas e leigos se reúnem em grupos de forma organizada. Se a proposta é reunir grupos, cabe às organizações abrir espaço para o debate, de modo que todos tenham a chance de participar, mesmo aqueles que são menos experientes no assunto. "Nas condições da modernidade, tanto para os leigos quanto para os peritos, pensar em termos de risco e estimativas de risco é um exercício quase que permanente e seu caráter é em parte imponderável."[26]

Atualmente, surge a necessidade de chamar a atenção para que as organizações se reúnam a fim de eliminar as causas efetivas que levam aos riscos, em vez de ficar tratando o sintoma. E que tomem ciência de que não se deve ignorar as consequências, e que se faz necessário uma análise prévia para que não se chegue a uma situação irreversível.

Do risco surge a crise

Tipos de crise

As crises têm características comuns quando se desencadeiam. Em todas está presente o "elemento surpresa", fazendo que os fatos ganhem escala rapidamente; e, por despreparo dos executivos, muitos não sabem o que fazer, e as respostas demoram a ser elaboradas:

> É difícil pensar estrategicamente quando se está dominado por eventos externos inesperados. Parte do problema em lidar com as crises é que as organizações só conseguem entender ou reconhecer que são vulneráveis depois que uma crise grave acontece.[27]

A crise pode ser classificada em diferentes tipos: fenômenos da natureza, ambientais, sociais, em relação ao produto propriamente dito, financeira e tecnológica. Quando a crise é relacionada aos fenômenos da natureza, envolve enchentes, terremotos, vulcões, vendavais, entre outros, em relação aos quais o homem não tem poder de interferir, porém, pode, sim, agir, caso tenha conhecimento prévio desses fenômenos.

As crises ambientais estão ligadas diretamente aos efeitos danosos ao meio ambiente, como vazamentos de produtos tóxicos, destruição da camada de ozônio, contaminação de solo, ar, rios, mares e lagos, tratamento inadequado do lixo, poluição sonora e visual, desmatamentos, desvios de rios, alagamentos, aterros, caça e pesca predadoras.

---

26 GIDDENS, *Modernidade e identidade*, p. 117.

27 ARGENTI, *Comunicação empresarial*, p. 260.

As crises sociais estão ligadas à ética da empresa[28] – envolvem os valores morais, caráter, cultura e filosofia, e como a empresa age e se comporta diante de diferentes temas –, e os fatos geradores mais comuns são acidentes de trabalho, demissões em massa, violações de leis, discriminação, assédio, escândalos de qualquer natureza, como fraudes, corrupção, entre outros.

As crises relacionadas ao produto causam tremores nas organizações, em especial quando afeta a vida, saúde, higiene, integridade física dos consumidores. Alimentos são um exemplo que pode desencadeá-las, pois estão ligados à nutrição do ser humano, o que requer segurança, como a seleção cuidadosa de nutrientes, controle de processos, higienização do local, máquinas e humanos envolvidos na sua manipulação, entre outros itens. Além disso, neste tipo de crise também estão envolvidos casos como prazos de entrega não cumpridos, *recall*[29] de produtos, manutenção, cobranças indevidas, qualidade sob suspeita, entre outros.

As crises financeiras englobam fusões, aquisições, perda de grandes clientes, perdas patrimoniais, concordata e pedidos de falência. As tecnológicas, no mundo atual, podem paralisar uma organização, pois são movidas por sistemas, telefonia e internet.

Quando uma empresa está envolvida em uma crise, também é necessário entender seu gênero, se contingencial ou de caráter. No primeiro caso, existem ações imediatas para conter uma emergência, ou seja, é necessário um plano de contingência, como, por exemplo, em caso de incêndio, retirar os funcionários do prédio, ligar para os bombeiros e a defesa civil, acionar os hospitais locais, etc. O segundo envolve ações vindas de falhas ou interferências humanas, sob duas formas: evolutiva ou repentina. A evolutiva vai crescendo com o de-

28 A ética da empresa está relacionada a como ela pensa e age como corporação, com seus princípios, comportamento e postura com determinados temas e ações, adotados por seus dirigentes e demais colaboradores (Humberg, "O profissional e a ética empresarial").

29 *Recall* é o chamamento aos consumidores que compraram determinado produto fabricado pela empresa que, após a entrega, apresenta defeito de fabricação. O universo deste chamamento pode envolver somente os compradores de um lote ou da série inteira fabricada. Há duas formas de ressarcimento: ou o produto passará pelos ajustes necessários, ou ele será recolhido e o dinheiro devolvido aos compradores.

senrolar dos fatos, isto é, a crise vai surgindo conforme os fatos vão ocorrendo. Em muitos casos, esta crise deriva de outras menores, que vão ganhando força até tomar grandes proporções evidentes. A crise repentina, como o próprio nome diz, ocorre repentinamente, sem controle algum, como, por exemplo, a queda de um avião.

Como surgem as crises na internet

A maioria das crises não surge repentinamente, exceto em alguns casos de tragédia – como a queda de um avião ou enchentes –, mas vêm do mundo externo e impactam a internet e a imprensa; iniciam-se com pequenos sinais, como sintomas de uma doença. Os sinais aparecem, e, se não forem detectados imediatamente para que sejam devidamente tratados, a situação só tende a piorar. Um exemplo bem simples: um consumidor tem problemas no seu carro, vai à concessionária para fazer o reparo, mas não consegue assistência. Ele liga para o Serviço de Atendimento ao Consumidor, a atendente promete providências, mas não retorna o contato. Depois de inúmeras tentativas, o consumidor, indignado, toma a iniciativa de desabafar nas redes sociais para compartilhar o problema, não necessariamente para pedir socorro. Sem sombra de dúvidas, os colegas da rede ficarão do lado do consumidor lesado, e o ajudarão a debater e propagar as ações negativas daquela marca. Aparecerão outras histórias similares, que aumentarão o debate e a exposição da empresa, que não soube conter a crise desde os primeiros sinais. Se tivesse tratado desde o primeiro indício, não teria se exposto a uma situação negativa. Em um caso como este, a empresa pode chegar ao *Treding Topics* do Twitter, por exemplo, sendo o assunto mais debatido e criticado nas redes sociais. Tal repercussão pode ganhar a imprensa, e a bola de neve pode crescer sem controle.

As crises de repercussão na imprensa também seguem a mesma lógica. Quando não administrada e contida, a organização ganha os holofotes da mídia. Hoje, a internet e a imprensa *off-line* não estão dissociadas, mas interligadas, pois muitas vezes os meios de comunicação se pautam pelos assuntos relevantes e debatidos dentro do ambiente *on-line*, ou, ainda, as redes sociais ajudam a disseminar a informação para além daquele grupo cativo de leitores de determinado jornal. Claro que o efeito contrário também acontece, mas percebe-se que as crises se tornam mais fortes e poderosas no mundo globalizado graças à sua velocidade e dinamicidade. Por conta disso, os meios de comunicação se tornam aos poucos, ou efetivamente, o quarto poder.

No mundo *on-line* existem dois tipos de repercussão de uma crise: ou ela se inicia neste ambiente, nos debates nas redes sociais, ou surge no ambiente externo, quando as redes sociais têm a função e a força para propagá-la. Importante mencionar que, para os meios digitais, as crises, para ter repercussão, não precisam ganhar, necessariamente, as páginas do jornal. Muitas delas, neste mundo moderno, podem ficar fechadas no ambiente *on-line*, porém, vistas por muito mais pessoas.

Nenhuma empresa quer ser alvo negativo da mídia. Por isso é importante entender como as notícias são construídas e o que é interessante para os meios de comunicação, jornalistas, os próprios leitores e as redes sociais. Afinal, notícia é uma narração de fatos, e o público quer tomar conhecimento de informações referentes aos seus assuntos de interesse. Definir a notícia é um desafio para os jornalistas (e empresas jornalísticas), que devem ter uma visão imparcial do que é relevante ao seu público:

> Os valores que sustentam a noticiabilidade do fato, ou seja, a condição de possibilidade para que este venha a transformar-se em notícia, podem variar segundo o lugar do fato, do nível de reconhecimento social das pessoas envolvidas, das circunstâncias da ocorrência, da sua importância pública e da categoria editorial do meio de comunicação.[30]

O fazer jornalístico está diretamente ligado às atividades de seleção, destaque e articulação de informações capazes de transformar fatos em acontecimentos que consigam despertar o interesse coletivo.

30 SODRÉ, *A narração dos fatos: notas para uma teoria do acontecimento*, p. 21.

O acontecimento é construído por interferência do fato, que pode ser atualizado a cada momento ou diariamente com novas ocorrências. O fato se torna acontecimento quando sai da normalidade do dia a dia da sociedade. Os acontecimentos relevantes são responsáveis por pautar a imprensa – jornal, revista, rádio, TV e internet.

A repercussão de um fato se torna um grande acontecimento por ser de interesse de uma grande maioria, como corrupção, desvio de dinheiro, vazamento de petróleo, intoxicação em massa, contaminação de alimentos, etc. O fato gera um acontecimento, que dá origem à notícia.

Sodré explica que o que determina a escolha de uma notícia ou outra é o valor que ela traz em si. Novidade, imprevisibilidade, o peso social e a proximidade geográfica do fato, a hierarquia social dos personagens implicados, a quantidade de pessoas e locais envolvidos e o impacto sobre o leitor são as características que definem os valores da notícia. O fator surpresa, ou o acontecimento repentino, atrai a atenção da mídia para que se torne notícia. É neste cenário de imprevisibilidade que as crises ganham destaque e relevância.

Uma crise organizacional passa a ser notícia quando a organização se torna alvo da mídia porque seu problema envolve um grande número de pessoas; a exposição varia de acordo com a seriedade do risco envolvido, se coloca em risco a vida do ser humano e do meio ambiente, ou conforme os impactos que causam na vida da sociedade no presente e no futuro, se envolve governo ou outras entidades relevantes e se coloca em questão o caráter da empresa.

As crises dão audiência e fazem os meios de comunicação lucrar porque despertam o interesse público. As crises de imagem permitem que os veículos de comunicação travem uma batalha entre si na busca pela informação mais rápida, fontes diferentes, fatos privilegiados; e quem sai na frente ganha.

A exposição de uma crise na mídia ganha contornos de defesa dos interesses públicos. Segundo Wilson Bueno,

> a mídia tem um papel fundamental no processo de expansão ou redução das crises. Quando ela descobre na crise uma opor-

tunidade de aumentar a audiência, quando ela percebe que a situação pode ser do interesse do público, não titubeia.[31]

A publicação de um fato ilícito pode ser entendida como forma de alertar para que outros não repitam o mesmo erro ou erros similares. Empresas, organizações sem fins lucrativos, políticos, celebridades podem ser alvos de uma grande crise, como também qualquer um dentro de sua atividade exercida.

Entender como a notícia é construída é importante para que os gestores compreendam que sua empresa pode vir a ser notícia, independente de seu tamanho. Talvez o leitor questione a importância de entender como se forma uma crise nos meios *off-line* em um livro de crises *on-line*. Não podemos dissociar: o que muda do mundo *off-line* para o *on-line* são somente as dinâmicas, a interação, o estilo de público, a mensagem e o poder de alcance, mas não a importância da mensagem.

Os blogs, que têm voz e transmitem informações, seguem a mesma teoria para construção da notícia. Mesmo que muitos de seus participantes não sejam jornalistas, eles repercutem temas relevantes para seu grupo ou sua comunidade. A notícia pode ser boa ou ruim, mas sua marca está lá, exposta.

Os novos meios de comunicação, como as redes sociais, também são grandes impulsionadores de crise. Poucas organizações perceberam isso e não pararam para observar o que estão falando sobre seu negócio, e, exatamente por isso, deixaram de ter controle do que está sendo publicado sobre o seu produto ou a sua marca, seja de forma positiva ou negativa. E nem sequer se deram conta de que tal informação pode estar sendo republicada por outro veículo ou de que o próprio público pode estar se mobilizando a favor do consumidor, fazendo que outras queixas venham à tona.

Uma crise se inicia e, dependendo do tamanho da repercussão, ganha o palco da mídia. Alguns veículos de comunicação (jornais e televisão) já oferecem espaço para o assunto mais discutido na rede,

31 BUENO, *Comunicação empresarial: políticas e estratégias*, p. 142.

o que significa aumento da convergência de mídias, como já previa o sociólogo Manuel Castells.[32]

Muitas empresas encontram-se emparedadas, sem saber como lidar com o excesso de informação e as novas mídias, nas quais qualquer um pode ter o papel de repórter e narrar situações vividas ou debater assuntos a cerca de determinado tema. A internet também é palco de movimento contra determinadas empresas ou produtos. Por meio de comunidades "Eu odeio" são compartilhadas informações, opiniões e ressentimentos.

Hoje, existem diferentes tipos dessas comunidades. Algumas reunidas em blogs, e outras, a maioria, em comunidades no Orkut: "Eu Odeio a marca do carro X", "Eu odeio bancos", "Eu odeio determinado celular", etc. Claro que nenhuma empresa conseguirá 100% de satisfação de uma marca, e alguns sempre falarão mal, mas é necessário mapear o porquê de tal insatisfação para que o próprio produto possa melhorar. Alguns empresários e diretores tendem a ignorar as críticas, dizendo que o consumidor reclama sem motivo. Uma marca precisa encantar, trazer confiança, além de entregar seus alardeados atributos. Se isto não aconteceu, é preciso entender: por quê? o que houve? "O produto pode ser ótimo, mas a vendedora tratou mal", por exemplo.

O problema da onda "Eu odeio" é que o consumidor, tendo razão ou não, já estampou a marca no mundo virtual para que qualquer um possa ver e consultar as queixas. E a reputação da marca, como fica?

E por falar em abalo de reputação nas redes sociais, durante a escrita deste livro – final de junho e início de julho de 2011 –, o Grupo Pão de Açúcar, cujo maior controlador é a empresa francesa Casino, anunciou a fusão com a rede Carrefour, concorrente na França da Casino. Não vou entrar nos detalhes da operação, mas a informação principal é que o empresário Abílio Diniz solicitou 3,2 bilhões de reais ao banco estatal BNDES (Banco Nacional de Desenvolvimento Econômico e Social), alegando que seria uma operação para gerar mais empregos, melhorar o varejo, etc. O fato de usar o dinheiro público

32 CASTELLS, *A galáxia da internet: reflexões sobre a internet, os negócios e a sociedade.*

para uma operação de um grupo privado gerou a indignação no Twitter. Em uma breve análise retórica[33] da figura do empresário Abílio Diniz, considerado homem de sucesso e exemplar nos negócios, entre os dias 1º e 2 de julho, sua imagem estava abalada, as pessoas questionando sua necessidade de mais dinheiro e como seria usado o dinheiro público. Este é um exemplo de como uma crise externa repercute no ambiente *on-line*. O Grupo Pão de Açúcar não deu um posicionamento *on-line* sobre o caso. E Abílio Diniz postou no Twitter, no dia 30 de junho, dizendo literalmente: "Estou sendo muito criticado, mas acredito que a fusão do Pão de Açúcar com o Carrefour será boa para o País e para os brasileiros".

Durante esse período, percebi que muitos brasileiros mandaram mensagens para o empresário. As redes sociais são dinâmicas, e ele não deveria ter postado somente uma mensagem e depois fingir que nada mais aconteceu. Os seguidores do Twitter queriam saber o que ele pensa e obter respostas. Não digo que Abílio Diniz devesse responder a todos os tweets, mas, como o fato é de interesse do público, devia dar novos posicionamentos e responder a dois tweets, por exemplo. Nesse caso, ficar quieto pode gerar uma crise maior, pois transmite desinteresse pela opinião pública. Claro que é bom mencionar sua postura positiva como porta-voz, dando esclarecimentos sobre o caso, mas faltou mais interação.

Construir um relacionamento eficiente com seu público na internet faz parte da identidade corporativa e, por consequência, da construção da imagem e da reputação da marca. Tais ingredientes fazem parte do processo de gestão de crise, que veremos nos capítulos a seguir.

33 Instrumento de pesquisa crítica da comunicação que envolve a descrição, análise, interpretação e avaliação de atos retóricos (HALLIDAY, "Discurso organizacional: uma abordagem retórica", p. 43)

Capítulo 3

CONSTRUÇÃO DE IDENTIDADE, IMAGEM E REPUTAÇÃO NA INTERNET

Todas as empresas estão suscetíveis a crises, porém, algumas estão mais expostas pelo ramo de atividade em que atuam ou por estarem mais evidentes na mídia. Como diz Mário Rosa, a crise é um sintoma do sucesso, e o que está em jogo é a reputação. Quanto mais uma empresa aparece em propagandas, nas ações de marketing, nas páginas dos jornais, mais se expõe para os outros verem, e qualquer deslize será apontado.

No mundo atual, no qual a concorrência dos produtos está acirrada, a forma como uma empresa se difere das outras não é o produto em si. Afinal, vender qualidade tornou-se uma obrigação, e não um diferencial.[34] Para Giddens,[35] a confiança está diretamente ligada à segurança na era da modernidade.

34 "Com o crescimento da concorrência em todas as áreas de atuação, incrementada pela força e reflexos da mundialização (ou globalização) as empresas urgem por diferenciais e precisam atribuir à sua marca elementos que a destaquem face à crescente força que tem a consciência do consumidor no momento da aquisição de produtos e serviços" (Farias, *O poder e a cultura nas organizações contemporâneas*, pp. 9-10).

35 Giddens trata o tema da confiança na modernidade em *As consequências da modernidade* e em *Modernidade e identidade*.

No mundo da sociedade do risco, o que os consumidores querem é confiar na organização que vende um produto, serviço ou uma ideologia. Alguns exemplos claros: um laboratório farmacêutico não vende remédios, mas confiança. Uma fabricante de alimentos vende muito mais do que um pacote de biscoito, vende, embutida em sua marca, confiança. Uma fábrica de pescados em conserva não vende somente atum enlatado, mas a confiança dos processos. Confiança é o resultado da boa reputação. Para conquistá-la, é necessário contar o que a empresa faz e divulgar suas ações. O que somente é possível com os atributos da comunicação corporativa. A tarefa desta conquista requer tempo, pois trata-se de uma relação que precisa ser abastecida com ações positivas, sinceridade, honestidade e respeito mútuo. Traçando um paralelo com as relações pessoais, qualquer ser humano somente confia no outro após uma sequência de atitudes que o levará a crer nesta confiança. A construção desta relação de confiança também serve para as organizações *versus stakeholders*.

Toda vez que se fala em comunicação corporativa, construção, preservação e sustentação de uma organização – no que diz respeito a seus produtos, marcas e serviços –, e até mesmo em gestão e gerenciamento de crise, não é possível dissociar a palavra mágica chamada reputação, que também está diretamente ligada à confiança. Reputação nada mais é que o maior bem construído por uma empresa, cujo valor é intangível e, muitas vezes, pode ultrapassar os bens tangíveis (prédios, equipamentos, carros, entre outros bens materiais que podem ser calculados).

No mundo atual, a reputação se torna, para as organizações, um diferencial em relação à concorrência, às outras categorias de produtos, etc. Este é um assunto sério. Por que este bem se torna tão importante? Vou exemplificar melhor: O que difere um sabão em pó do outro? O que faz o consumidor escolher entre uma marca ou outra no momento da compra? O consumidor não entende a composição química do produto, mas, sim, de percepção da marca oferecida pelo composto da reputação.

E, mais ainda, vender qualidade é obrigação, não diferencial; atender bem ao cliente é obrigação, não diferencial, assim como oferecer um pós-venda adequado. Então, o que fará uma marca se destacar em relação a outra? São seus atributos.

Digo isto, em algumas reuniões, quando o empresário me diz: "Minha empresa tem um serviço melhor, um ótimo atendimento, meus funcionários são honestos, de caráter, e oferecem um grande profissionalismo". Ok? Concordo que são fatores relevantes, mas não temos que nos acostumar achando que estes atributos são diferenciais, mas, sim, fazem parte do trabalho cotidiano.

Mas, como conquistar a reputação da sua marca? A teoria e a prática de construção da imagem e da reputação são similares para o ambiente *off-line* e *on-line*, porém, o que muda é o ambiente em que se estabelece esta relação com seu público. Apesar dos ambientes diferentes, a construção da imagem e da reputação *on* e *off-line* pode estar interligada, pois ambos os quesitos dependem um do outro para sua efetivação.

Para entender melhor, reputação é a consequência da boa imagem, que é construída por meio da identidade. É um círculo vicioso no bom sentido: identidade gera imagem, que gera reputação. No processo de comunicação organizacional, essas três palavras – identidade, imagem e reputação – não podem estar dissociadas, mas é essencial que os gestores entendam suas diferenças para que possam tomar medidas certas para bons resultados.

Identidade corporativa

Importante esclarecer que a construção da identidade não implica automaticamente a imagem, pois esta se sustenta por meio do discurso, das ações e dos valores da organização. A imagem é oriunda da opinião pública e da percepção que o público tem da organização. Uma identidade bem construída discursivamente, assentada, na prática, sobre princípios e valores positivos e bem-aceitos publicamente tende a produzir uma boa imagem e, por consequência, a longo prazo, uma boa reputação.

A identidade corporativa, ou seja, da organização, é composta por toda comunicação e os processos produzidos internamente. Vai muito além dos nome, logomarca, slogan, folder e site, abrangendo as instalações, uniformes, modo como os atendentes falam com o cliente, mensagens passadas, publicidade, entre outras peças produzidas. Produtos, serviços, *call center*, respostas dadas ao cliente, tempo de resposta e todo o processo de pós-venda também fazem parte dessa identidade, pois o produto oferecido (de qualidade ou não) é transmissor de percepção e mensagem ao cliente. Sua experiência com o pós-venda, por exemplo, tem impacto na relação, de forma positiva ou negativa, assim como se a empresa utiliza, ou não, matérias-primas sustentáveis e valoriza os colaboradores. Portanto, no processo de construção da identidade deve ser avaliada a empresa como um todo, e não somente a comunicação transmitida. Não observar esta máxima é um erro estratégico.

Também devemos considerar outros fatores envolvidos. O pesquisador americano Cees Van Riel explica:

> o *mix* de identidade o categoriza em três elementos – o comportamento, seus símbolos e sua comunicação – que englobam toda ação ou expressão da organização. São esses elementos que permitem à organização criar sua autoapresentação, dando-lhes visibilidade.[36]

Na visão de Ana Luiza Almeida, a identidade organizacional é a autoanálise de quem somos como organização:

> A identidade organizacional vai além das percepções do que representa a organização, considerando os sentimentos e pensamentos dos próprios membros sobre o que os define como uma organização. Sua projeção se revela nas histórias e nos comportamentos do dia a dia. Podemos dizer que a identidade corporativa requer perspectivas gerenciais, enquanto a identidade organizacional requer perspectivas da organização como um todo.[37]

---

36 VAN RIEL, apud ALMEIDA, *Identidade, imagem e reputação organizacional: conceitos e dimensões da práxis*, p. 219.

37 ALMEIDA, idem, p. 223.

Na identidade corporativa, o que vale são os símbolos, ou seja, as imagens que interpretam o que a empresa faz e o que deseja transmitir, por meio de fotografias, ilustrações, material gráfico, marcas e logotipos. Por meio da comunicação, a organização pode escolher e direcionar as mensagens a serem transmitidas a cada segmento de público. Se essas mensagens não forem coerentes, pode haver falhas na percepção de seus *stakeholders* internos e externos.

Uma forte identidade corporativa traz os seguintes benefícios: motiva os empregados, inspira confiança entre os grupos externos da organização, reconhece o propósito vital dos clientes e transmite o papel essencial dos investidores financeiros.

Identidade digital

Site da empresa, *e-mail*-marketing, newsletter eletrônica, intranet, WebTV, entre outras ações *on-line*, fazem parte da identidade corporativa, conforme vimos nas descrições acima. A comunicação estabelecida nas redes sociais, no que diz respeito à estratégia adotada no mundo *on-line* – as mensagens postadas, interação realizada, o mapeamento do público e o estreitamento da relação –, também é identidade, que, quando benfeita, gera uma boa imagem para a organização. Podemos chamar de identidade corporativa digital, ou *on-line*, para nos referir à comunicação e à mensagem feitas no mundo *on-line*.

A construção da identidade precisa ser realizada minuciosa e estrategicamente. Para algumas organizações, tal processo é feito com a criação de um login e postagem de mensagens, promoções ou propagandas. Este é um grande erro de comunicação. Como dito no Capítulo 1, o público espera das redes sociais aproximação, interação, engajamento, participação e relação de confiança para que uma organização seja relevante e tenha credibilidade diante do seu grupo de relacionamento. Conquistar isto requer tempo, estratégia e plano de ação predefinido de acordo com cada público.

Faz-se relevante mencionar a importância entre público, mensagem e canal (onde será postada a informação). Uma comunicação somente de interesse do seu fornecedor, por exemplo, não pode estar no mesmo espaço dedicado ao seu público final, mas, ao mesmo tempo, uma informação pode ser coincidente para ambos os públicos. Para perceber essa pertinência, é preciso estratégia e definição de um plano de ação.

Outro fator relevante é a interação estabelecida nas redes sociais. Vou dar um exemplo simples: se quero ser seu amigo, não entro na sua casa e digo: "A partir de hoje, sou seu amigo". Esta amizade é conquistada com o tempo. Primeiro, nós nos conhecemos e descobrimos que nos interessamos pelos mesmos assuntos (mesmo esporte, time de futebol, banda de rock, profissão, etc.), frequentamos lugares similares, e, a partir daí, com o tempo, os laços são estreitados. A relação passa a ser alimentada por ambos os lados. Não adianta um abastecer a amizade e o outro não ter interesse. Com isso, você passa a sentir confiança em mim. Na internet, a relação não é diferente, e o desafio é que não o vejo, não conheço sua casa, nem seus pais e irmãos ou filhos. Claro que pode acontecer a relação no mundo *off-line*, mas não é regra. Estabelecer corretamente uma relação com seus públicos de interesse pela internet também faz parte da identidade corporativa, porque cada aproximação feita pode estreitar ou não a confiança.

A comunicação das redes sociais está baseada em "Compartilhar, Curtir, Tuitar e Retuitar", geralmente realizados por amigos próximos, com relação já estabelecida e confiança firmada.

O conteúdo da mensagem é outro item fundamental para o estreitamento do laço, que também influencia na identidade corporativa digital. Podemos afirmar que conteúdo é o fator que move toda a interação, a relevância e a aproximação. Um exemplo: há operadoras de celular que estabelecem uma comunicação nas redes sociais, colocando somente mensagens promocionais. Será que o consumidor só quer ver mensagens relacionadas aos serviços e promoções? Tenho certeza de que a marca possui outros atributos e ações que ele gostaria de saber. Além disso, a empresa pode criar uma interação com discussão e brincadeiras criativas. Pode também trazer dicas úteis diversificadas, ou até mesmo relacionadas ao segmento em que atua. Mas, claro, tudo depende do objetivo e de um plano de ação para que se proceda corretamente.

Deve-se também prestar atenção a características, jeito e forma das mensagens, porque cada rede social é diferente das outras. O que vale para o Facebook nem sempre vale para o Twitter, mas pode calhar de valer, dependendo da mensagem e da circunstância. Porém, cada mensagem deve ser analisada individualmente. As mensagens não devem ter cunho formal, com palavras difíceis de entender ou pré-padronizadas. Por outro lado, a comunicação pelas redes sociais é estabelecida pela aproximação, mas não significa necessariamente intimidade. O uso de gírias depende do estilo do negócio. No caso de uma loja de surf, é permitido, pois suas gírias próprias fazem parte do universo do seu público. As abreviações também são comuns, porém, deve-se analisar se há necessidade e qual o momento certo de usá-las. Lembre-se sempre: o que você comunica determinará sua identidade – o que é e o que representa.

Todas as formas da mensagem devem estar contempladas previamente no plano de identidade digital da organização, de tal maneira que, quando o responsável for colocar em prática, as regras já estejam definidas.

Uma dica ao desenvolver a estratégia de identidade digital é criar um manual de uso nas redes sociais. Nele, o gestor definirá o caminho e definirá o perfil da equipe que executará o plano de ação. Como o meio digital é muito rápido e dinâmico, pode acontecer de mensagens serem postadas de forma errada ou que não estejam de acordo com a identidade corporativa da organização. Justamente por conta disso, um manual será a linha condutora de como todos devem agir nas redes sociais, evitando surgir uma crise. Neste manual, aponte como deve ser os estilos de mensagens, o que pode ou não ser postado, gírias permitidas, públicos importantes, etc.

Imagem corporativa

A imagem corporativa da marca é uma consequência do trabalho realizado durante a construção da sua identidade. É a partir da percepção e da interpretação da identidade pelos distintos públicos que a imagem corporativa é constituída. Trata-se do reflexo da identidade. Kunsch explica que imagem é o que passa na mente dos públicos; é o imaginário e as percepções das pessoas. "É uma visão intangível, abstrata das coisas, uma visão subjetiva de determinada realidade."[38] A imagem pode ser negativa ou positiva, o que não depende da organização. Ou ela faz um bom trabalho de identidade, ou a imagem passada será falha. Seguindo a teoria da semiótica, por meio dos elementos expostos pela identidade têm-se as sensações e percepções obtidas das imagens.

Uma organização se expõe ao seu público, como já visto, por meio de seus produtos, serviços, pelo atendimento telefônico, pelos vendedores, pela forma como a empresa defende uma causa, pelo cuidado que tem com seus clientes, entre outros aspectos. Quando o público recebe essas mensagens, elabora seu ponto de vista a respeito daquela marca. De forma abstrata, o público assim constrói sua opinião: "essa marca tem um bom atendimento, produtos de qualidade, usa embalagens recicláveis e me dá respostas quando necessário". É a leitura da identidade que dá origem à imagem. Dependendo da percepção do público, a imagem pode ser positiva ou negativa. Se a organização não disponibiliza as informações corretamente, não responde aos pedidos dos clientes, ou os deixa sem resposta, por exemplo, a imagem provavelmente se torna negativa, e a empresa não conseguirá fugir dessa realidade. Neste ponto, a solução é rever o trabalho da identidade, que, aliás, se trata de uma ação constante.

Esta percepção também é notável na internet por meio dos resultados das ações realizadas *on-line*: pela aproximação que o público criou com a empresa, quanto curtiu ou não suas ações, quanto gerou de compartilhamento, retuitou ou respondeu às suas mensagens, etc.

Construção da reputação

Esta construção depende diretamente do reflexo da imagem organizacional e, também, do fator tempo. Não se constrói uma reputação em uma semana, nem em um ou seis meses. É um processo que resulta

38 KUNSCH, *Planejamento de relações públicas na comunicação integrada*, p. 170.

de várias percepções ao longo do tempo, até o público elaborar sua opinião de que aquela organização possui boa ou má reputação. Porém, não basta somente construir uma boa reputação, é necessário sustentá-la, pois trata-se de um processo constante que envolve construção, sustentação e manutenção. Uma reputação sólida é criada quando a identidade e a imagem de uma organização estão alinhadas.

A imagem da organização está ligada às opiniões mais recentes do público, enquanto a reputação reflete uma avaliação e julgamento do conjunto de valores e percepções transmitidos ao longo do tempo. A obtenção de uma reputação sólida depende do comprometimento da organização em construir uma identidade adequada, que seja percebida por seus *stakeholders* por meio da imagem. Por que se preocupar tanto com a reputação? Argenti responde:

> Empresas com reputações sólidas e positivas podem atrair e reter os maiores talentos, assim como consumidores mais fiéis e parceiros de negócios, que contribuem positivamente para o crescimento e o sucesso comercial.[39]

Plano de comunicação organizacional

Para a criação, manutenção e sustentação da reputação é necessária a construção de um plano de comunicação organizacional integrado, que, segundo Kunsch, é a junção da comunicação institucional, mercadológica, interna e administrativa. A comunicação digital insere-se no escopo da comunicação organizacional, que deve estar alinhada às outras ações de comunicação e ao planejamento global da organização.

A comunicação organizacional é construída por meio de um processo que inclui diagnóstico, análise do diagnóstico para mapear os problemas da organização (análise situacional), análise de mercado (macroambiente), definição de metas, objetivos, estratégias e plano de ação.

---

39 ARGENTI, *Comunicação empresarial*, p. 98.

Para cada público[40] há uma ação a ser realizada, pois as linguagens, as mensagens e, em alguns casos, os veículos de comunicação são diferentes.

A construção de um plano de comunicação digital também engloba essa sequência de análises e ações, mas voltado para o ambiente *on-line*. É necessário repetir isto várias vezes: as ações feitas para o ambiente externo não devem ser replicadas no meio virtual, e o que vale para um caso não vale para o outro.

Outro processo fundamental que sustenta a reputação de uma marca é o plano de gestão e gerenciamento de crise, a ser usado como norte das ações a serem tomadas pela organização quando surgir uma ameaça. Os públicos percebem quando a empresa sabe lidar em momentos de crise, dando respostas rápidas, assim demonstrando transparência e respeito. Uma crise bem administrada e com respostas adequadas demonstra o profissionalismo da empresa e quanto está preparada para os eventuais rumores do mercado.

A boa reputação em momentos de crise se torna um crédito, conquistado em momentos de calmaria por meio da comunicação consolidada. Quando uma crise se desencadeia e expõe a marca a uma situação delicada, esses créditos salvarão a empresa de ter sua reputação atingida negativamente. O consumidor ficará do lado da empresa, o acionista compreenderá que foi um acidente e a situação está sendo regularizada, e o público interno acreditará na empresa e fará todos os esforços para que a produção se mantenha e o negócio continue. Mas deve-se ter muita atenção na gestão e gerenciamento de crise nas redes sociais, pois o fator tempo e o conteúdo das mensagens são essenciais. Se no processo de gestão e gerenciamento de crise convencional as empresas devem dar um posicionamento ao seu público dentro de três horas, nas redes sociais este tempo cai para uma hora, pois três podem representar uma eternidade. O ideal é quanto antes melhor, a fim de evitar que sua marca esteja se expondo negativamente sem a devida resposta. Além disso, o efeito multiplicador nas redes sociais é muito

40 Os públicos de uma empresa – aqueles a quem se deve enviar uma mensagem – variam de acordo com o negócio. Por exemplo: colaboradores, acionistas, fornecedores, distribuidores, revendedores, sindicatos, associações, universidades, imprensa, governo, clientes, entre outros.

maior, tendendo a se transformar em uma bola de neve, dificultando, e muito, acalmar a opinião pública.

Papel da liderança na reputação da marca nas redes sociais

O desafio da comunicação digital é conscientizar os diretores e presidentes das organizações da relevância deste trabalho para a era em que vivemos. As formas de se relacionar mudaram, e promover ações de comunicação digital não é somente se cadastrar no Twitter, Facebook, Orkut ou qualquer outra rede social. Já ouvi de gestores que, para fazer este trabalho, basta colocar um garoto de 17 anos, ou um estagiário, para ficar postando, e está resolvida a história. Trabalho malfeito e sem estratégia pode custar caro, e influencia diretamente na identidade e, por consequência, na imagem organizacional.

A comunicação digital deve ser vista como um departamento dentro da organização, assim como há aqueles para a comunicação interna, institucional e mercadológica. Cada empresa define seu organograma, de acordo com o tamanho do negócio e importância que dá à comunicação estratégica. O importante é discutir internamente para que haja uma organização eficaz e que os resultados sejam efetivos. A comunicação digital deve estar inserida na comunicação organizacional para que tenha o mesmo alinhamento estratégico, diretamente ligado ao plano global de comunicação da organização. Seguindo a linha de raciocínio de Kunsch,[41] acrescento a comunicação digital como sugestão para as corporações incluírem em seu organograma.

Comunicação digital nas organizações não pode ser somente uma tarefa a mais de um analista de comunicação, pois a ação se torna algo mais ou menos assim (como ouvi de uma coordenadora de comunicação de uma empresa de tecnologia): "Recebi ordem da diretoria para entrar nas redes sociais, mas não há verba para contratar alguém ou uma agência, e preciso incluir na minha lista de atividades. Então, coloco ou programo alguns posts no Facebook e Twitter e resolvo logo o caso".

41 KUNSCH, *Planejamento de relações públicas na comunicação integrada.*

Outra realidade é delegar esta tarefa a um estagiário sem lhe dar critérios, estratégia e plano de ação. Imagino que o leitor já percebeu minha insistência em falar de estratégia em comunicação, mas é absolutamente necessário entender qual o objetivo da ação, com quem se deve falar, o que falar, como falar, quando falar e quais os recursos necessários. Diante de tantas informações que o público recebe, sua mensagem deve se tornar relevante aos seus olhos, de tal maneira que traga resultado. Pela falta de experiência e maturidade, um estagiário não tem conhecimento suficiente para este trabalho. Ao mesmo tempo, tal ação não pode ser uma atribuição encaixada no departamento de comunicação, ou seja, "encaixa aí na sua lista de tarefa". Não estou querendo dizer que um estagiário não tenha competência, mas comunicação é um trabalho de equipe, no qual todos expõem suas ideias e os argumentos para montar uma ação. Cabe ao coordenador, ou gerente, organizar todas elas, ver o que é relevante e montar o plano de ação.

Dependendo da ação, a comunicação digital se encontrará com a *off-line*, cruzando-se para obter mais efetividade. Com a convergência digital, é normal uma empresa anunciar no jornal uma ação que esteja promovendo no mundo *on-line*. Assim, mais pessoas podem visualizar a marca e a mensagem desejada. Também acontece de o mundo *on-line* estimular a participação de uma ação do ambiente externo.

Para exemplificar, realizo desde 2005 divulgações de campanhas nacionais de saúde na área de neurologia, com estandes e palestras de conscientização dos sintomas das doenças. No último ano, levei a campanha para o mundo *on-line*; além de postar informações sobre as doenças, estimulamos as pessoas a participarem das palestras. As pessoas estão mais conectadas, o que torna o meio digital um mural de avisos e lembretes de assuntos de interesse. Mas tudo isso se faz com estratégia e plano de ação.

Ações no mundo *on-line* sem que se determinem os pontos de partida e de chegada e sem aproximação com o público – ou seja, sem a organização de um plano – podem gerar crise. Não saber fazer pode expor a marca e atingir sua reputação. Exemplo: uma grande loja virtual coloca uma promoção no Twitter, mas está sofrendo com problemas de entrega. O que vai acontecer? Haverá uma onda de retuítes e respostas criticando a falta de responsabilidade e de respeito por parte da empresa em oferecer um produto que não consegue entregar. Um departamento de comunicação digital bem preparado, em sintonia com as outras áreas da empresa (neste caso, a área de logística), certamente saberia o que responder.

Nas redes sociais, quando se está elaborando a comunicação digital, é preciso estar muito atento para não cometer erros de português. Há empresas que colocam posts com erros de concordância e de grafia, o que é condenável. São aceitáveis nas redes sociais as abreviações, a falta de espaço entre a pontuação e a palavra, mas erros de português não podem ser considerados normais para uma organização que pretende angariar a admiração e a confiança de seu público.

Detalhes, como quem fará, que tipo de informação colocar, quem coordenará e controlará as mensagens, etc., devem estar contemplados no plano de ação. Alguns jovens da geração Y, caracteristicamente, são ágeis e fazem tudo muito rápido nas redes sociais; porém, por conta da distração, acabam deixando passar erros. Por exemplo, no início do mês de julho de 2011, um grande jornal de São Paulo postou uma notícia na versão *on-line* com termo "à partir", ou seja, com o uso indevido da crase. Isso gerou uma discussão nas redes sociais, apontando a irresponsabilidade do jornal em não conferir o trabalho entregue ao público, e, ainda, uma polêmica, com posts dizendo que o jornal explorava jovens jornalistas, pedindo-lhes produzissem muito em pouco tempo, o que os levava a cometer falhas como essa. Um erro de português, ou melhor, uma distração de português gerou uma crise em um dos veículos de comunicação mais respeitados do País.

Um dos quesitos de prevenção para a sua organização não se envolver em uma crise *on-line* é saber como fazer a comunicação digital, um dos processos na gestão de crise.

CAPÍTULO 4

COMO APRENDER COM OS ERROS

Aprender com os erros e acertos dos outros faz com que a conscientização seja maior, assim evitando-se cometer as mesmas falhas. Os grandes acertos corporativos são oriundos de um erro ou de uma ação malsucedida. Isso faz todos aprenderem, e vale tanto para a vida profissional quanto para a pessoal, para a família, para a construção de projetos, para o desenvolvimento de novos produtos, etc. Mesmo quando se age com cautela e planejamento, corre-se o risco de, quando o plano sair do papel e for colocado em prática, não seja mais adequado, advindo a necessidade de revê-lo até o acerto final. A revisão de planos deve ser constante, pois assim aprendemos a ver novos caminhos, seja com a própria experiência, seja acompanhando uma ação malsucedida de outra pessoa.

Na internet, essas experiências não são diferentes, e o laboratório de teste é quase constante. Tudo é muito novo, tanto para os coordenadores de ações das organizações como para os pesquisadores de universidades que estudam novas relações humanas intermediadas pelo computador.

Analisar e estudar *cases* não significa colocar o dedo na ferida ao apontar falhas, furos e deslizes das organizações nas redes sociais. No ambiente virtual, todos estão aprendendo, e tenho certeza de que, se tais organizações pudessem evitar tais falhas, o teriam feito. Portanto, o caminho é conhecer os riscos, tentar minimizá-los e trabalhar com gestão de crise.

Para construir este processo, faz-se necessário entender como as crises surgem, na prática, nas redes sociais. Para não nos estendermos diante de tantos casos, selecionamos os mais marcantes dos últimos três anos, em especial os acontecidos em 2011, por ser mais recentes e ter ganhado maior repercussão. Afinal, 2011 foi um marco do número de pessoas conectadas, por conta de estarem mais participativas civicamente, debatendo problemas de interesse comum da sociedade.

Pelo fato de as pessoas estarem mais presentes nas redes sociais, debatendo assuntos de repercussão, as organizações públicas e privadas e também grandes personalidades estão mais expostas a comentários negativos e a uma crise de imagem.

Cadeado Kryptonite®

A crise da empresa americana Kryptonite pode ser considerada uma das primeiras nas redes sociais. Em 2004, a empresa, especializada em desenvolver cadeados de alto padrão, não imaginava que poderia ser alvo de um garoto chamado Phillip Torrone, que gravou um vídeo ensinando como abrir o cadeado da marca com uma caneta Bic®. O vídeo foi postado no Blog Engadget, e, em poucos dias, centenas de pessoas já o tinham visto e colocado comentários sobre o produto, gerando uma discussão. A empresa demorou a dar um posicionamento, e teve um prejuízo de 10 milhões de dólaresem um ano, além da imagem desgastada da marca. Depois de perceber o prejuízo, a Kryptonite fez um *recall* e retirou o cadeado das prateleiras.

United Airlines

Em março de 2008, quando o músico Dave Carrol e sua banda Sons of Maxwell viajavam da cidade canadense de Halifax para o estado norte-americano de Nebraska, foram obrigados a fazer uma conexão em Chicago, onde o músico percebeu que os carregadores de bagagem estavam jogando os equipamentos na esteira sem qualquer cuidado. Dave reclamou com os funcionários, e os alertou sobre a fragilidade dos equipamentos, mas ninguém lhe deu atenção. Ao chegar ao seu destino, percebeu que seu violão da marca Taylor, de 3,5 mil dólares, havia se quebrado. Ele reclamou várias vezes com a companhia aérea, mas não obteve resposta quanto à indenização no valor do equipamento. Após diversas frustrações, Dave Carrol criou a música *United breaks Guitar* (United Quebra Violões), com uma melodia gostosa de ouvir e de fácil popularização, contando o caso; depois, gravou um videoclipe e postou no You Tube. Resultado: a música e o caso ganharam repercussão mundial.

Além das redes sociais, Carroll foi notícia na imprensa, deu entrevista para a TV, e até hoje o site www.unitedbreaksguitar.com existe como referência de estudo em gestão empresarial.

A United Airlines reconheceu a falha. O diretor da empresa, Rob Bradford, considerou a música excelente e muito criativa. Por conta disso, ele ligou para Carroll a fim de se desculpar, e pediu permissão à banda para usar o vídeo nos seus treinamentos internos com os colaboradores, cujo objetivo era aprender com o incidente. A United ofereceu comprar um violão novo e um crédito de 1,2 mil dólares em viagens, mas a banda negou. A única indenização que aceitaram, após diversas tentativas, foi a doação 3 mil dólares para o Instituto de Jazz Thelonious Monk.

Mesmo com a boa vontade da diretoria da United, o caso ganhou repercussão, e até hojeé visto. Em um dos vídeos postados, mais de 10 milhões de pessoas já o tinham assistido.[42]

Locaweb

No domingo, 28 de março de 2010, um clássico jogo entre Corinthians e São Paulo faz levantar a arquibancada com a vitória de 4 a 3 para os corinthianos. No estádio, um torcedor posta no Twitter sua vibração em ver seu time ganhar, com a seguinte frase: "Vamos Locaweb!!! Chupaaa bambizada!!! Timão eooo!!!". Seria uma comemoração normal, mas ela vinha do diretor comercial da Locaweb, Alex Glikas, que então

42 Número baseado no acesso de 1º de agosto de 2011.

contava apenas 200 seguidores, aproximadamente. Detalhe: dias antes da partida, a empresa de hospedagem tinha assinado um contrato de 600 mil reais para estampar sua marca nas camisetas do time são-paulino. No mesmo dia, os programas esportivos tipo mesa-redonda levaram ao ar a frase do Twitter, promovendo o assunto como um dos mais comentados naquela noite e nos próximos dois dias, com uma média de 3.500 mensagens sobre o caso, e uma exposição para 1,7 milhão de pessoas. Além de ganhar as redes sociais e os programas esportivos de TV, o assunto ganhou a imprensa, entre elas o site da *Info Exame*[43] (ver imagem a seguir) e *IstoÉ Dinheiro*[44]

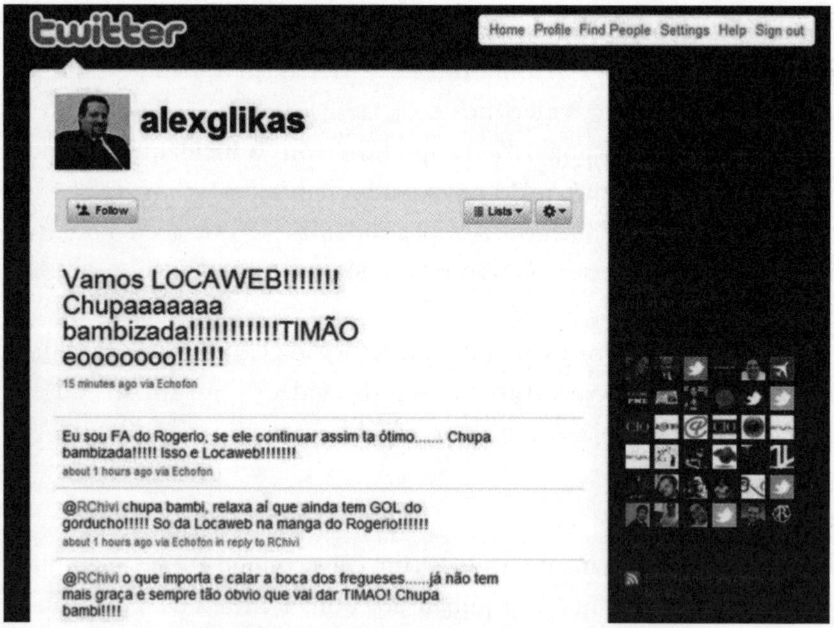

Imagem obtida no site de notícias InfoExame para ilustrar o *case*.

43 Pavarin, Guilherme. *InfoExame*. Disponível em: <http://info.abril.com.br/noticias/internet/tuite-demite-diretor-da-locaweb-30032010-30.shl>. Acesso em: 21 de fevereiro de 2012.

44 Ralphe Manzoni Jr. *IstoÉ Dinheiro*. Disponível em: <http://www.istoedinheiro.com.br/noticias/18537_GOL+CONTRA+NO+TWITTER>. Acesso em: 21 de fevereiro de 2012.

Resultado: a torcida do São Paulo ficou enfurecida com a marca, a Locaweb ganhou uma exposição negativa e o executivo foi demitido dois dias depois. Em nota à imprensa, a Locaweb afirma que essa não é a opinião da empresa e pede desculpas.

Tentando consertar o caso, Alex deletou os posts e pediu desculpas à torcida do São Paulo, afirmando: "No calor do clássico, o torcedor tomou conta do profissional. Não acontecerá de novo". (*Observação*: Glikas adotava a postura de falar em nome da organização no Twitter, postando vagas de emprego, prêmios conquistados, entre outras notícias.)

O que aprender neste caso: o executivo de uma organização é a identidade da empresa, e o que é postado por ele pode depor contra a organização.

Talvez o leitor agora esteja se perguntando onde está a liberdade de expressão. Para expor palavrões, comentários de baixo calão ou opiniões polêmicas, a sugestão é que se crie um login para conversar somente com os amigos, sem a necessidade de se expor ou a empresa. A partir daí, ninguém saberia se o Alex era da Locaweb ou não, e se diretor ou não. Desta forma, seria a opinião de um ser humano qualquer no seu momento de lazer.

Rato no Shopping Iguatemi

Um exemplo de crise que aconteceu no ambiente externo e ganhou repercussão na internet foi o caso do rato que apareceu na praça de alimentação do Shopping Iguatemi, frequentado por um público seleto, em São Paulo,[45] em janeiro de 2011. Aparecer um rato em uma praça de alimentação já se torna um absurdo, mais ainda neste caso, já que o shopping é conhecido por lojas de primeira linha.

O rato, assustado, cruzou a praça de alimentação entre as mesas. Algumas pessoas ali presentes o filmaram com seus celulares. Alguns começaram a gritar, e subiram nas cadeiras, até que o rato foi morto pelos seguranças, que o pegaram com um papel e o jogaram no lixo. Detalhe: no mesmo lixo que todos depois jogariam seus restos de comida.

O vídeo foi colocado no YouTube; depois, ganhou relevância no Twitter e nas demais redes sociais. Tamanha repercussão ganhou destaque também em vários veículos impressos importantes, como *Veja*,[46] *Folha de S.Paulo*[47] e até mesmo no jornal *A Crítica* (maior jornal do Amazonas),[48] como também em reportagens em emissoras de televisão que utilizaram imagens de câmeras amadoras.

Brastemp

Este *case* se tornou um dos mais tradicionais em crises de imagem, e, apesar de ter sido muito comentado, vale a pena retomar para apontar alguns detalhes da crise.

---

45 O fato ocorreu no fim de semana do dia 23 de janeiro de 2011. Vídeo no You Tube, disponível em: <http://www.youtube.com/watch?v=S2S08C3k1s8>. Acesso em: 16 de setembro de 2011.

46 Blog Veja São Paulo. Vídeo: Rato causa histeria no Shopping Iguatemi. Disponível em: <http://vejasp.abril.com.br/blogs/vejinha/video-rato-causa-histeria-no-shopping-iguatemi/>. Acesso em: 23 de outubro de 2011.

47 Talita Bedinelli e Laura Capriglione. Rato causa histeria na Praça de Alimentação de Shopping de São Paulo. Folha de S.Paulo. Cotidiano. Disponível em: <http://www1.folha.uol.com.br/cotidiano/865329-rato-causa-histeria-na-praca-de-alimentacao-de-shopping-de-sp.shtml>. Acesso em: 23 de outubro de 2011.

48 Rato na Praça de Alimentação do Shopping Iguatemi em São Paulo. Disponível em: <http://acritica.uol.com.br/noticias/Rato-alimentacao-Shopping-Iguatemi-Paulo_3_415188482.html>. Acesso em: 23 de outubro de 2011.

No dia 8 de outubro de 2011, o consumidor Oswaldo Borelli começou a ter problemas com sua geladeira de inox Brastemp, comprada três anos antes. No primeiro, em relação ao gás, ele levou a geladeira para a assistência técnica, que a consertou prontamente por 200 reais, dando garantia. Pouco tempo depois, mais um defeito, mas desta vez o técnico avisou que seria necessário trocar a carcaça, o que lhe custaria 3 mil reais. Inconformado, Oswaldo ligou várias vezes para o SAC, que lhe prometeu retornar em 24 horas, mas nunca retornou. Após diversas tentativas, a Brastemp entrou em contato propondo a troca com troco, ou seja, ele daria a geladeira com defeito, pagaria uma diferença e teria uma nova. Oswaldo fez o depósito no dia 16 de dezembro, e a atendente propôs a entrega para 20 dias depois, mas não aconteceu. Oswaldo e sua família ficaram três meses sem geladeira, obrigados a fazer suas refeições fora de casa.

Este relato detalhado foi feito de forma furiosa e indignada em um vídeo,[49] postado no YouTube, e em poucas horas se tornou o Trending Topics, passando a ser o assunto mais comentado. Poucos dias depois, Oswaldo recebeu sua geladeira, a Brastemp pediu desculpas, mas a marca, conhecida por sua qualidade, foi afetada.

Mesmo passado mais de um ano (entre janeiro de 2011 e fevereiro de 2012), o vídeo ainda é visto e o assunto, debatido no Twitter. O sr. Borelli tem a gentileza de responder às perguntas e incentivar as pessoas a correr atrás dos seus direitos, e se tornou um exemplo e incentivador da defesa do consumidor.

Contatado pessoalmente em janeiro de 2012, o sr. Oswaldo Borelli relata detalhes da história

As redes sociais me ajudaram a resolver um problema, que estava cansado de tentar pelas vias normais (assistência técnica e call center*) sem solução. A partir da publicação do vídeo no YouTube, minha*

49 Vídeo postado pelo procurador Oswaldo Borelli. Disponível em: <http://www.youtube.com/watch?v=riOvEe0wqUQ>. Acesso em: 23 de outubro de 2011.

geladeira, que tinha comprado "na troca com troco", foi entregue em aproximadamente três dias.

Avisei a empresa que a faixa e a geladeira, que tinha colocado no meu jardim, na frente da casa, ficariam ali até que eles viessem retirá-la. Após a retirada, dei o caso por encerrado.

Somente vinte dias após a troca da geladeira é que o bochicho começou. Um jornalista me ligou dizendo que meu caso estava no Trend Topics do Twitter, e tinha sido o 1º no Brasil e o 4º no mundo.

Sinceramente, eu nem sabia o que era isso. Tinha um Twitter, que mal sabia usar, com apenas quinze seguidores. Hoje, são aproximadamente quatro mil. Aproveito esses seguidores e uso o Twitter para lhes informar sobre notícias e casos de interesse dos consumidores. Acho importante que as pessoas conheçam seus direitos.

Eu somente queria uma geladeira funcionando normalmente, e não holofotes. Alguns meses após a entrega da nova geladeira, ela apresentou um barulho durante o funcionamento, semelhante a um gemido.

Mandei um e-mail *para o diretor, que, imediatamente, enviou três técnicos à minha casa. Eles analisaram o produto e constataram a procedência da minha queixa. Pediram-me autorização para colocar um pouco mais de isolamento acústico. Concluído o reparo e como "o gemido" persistiu, eles trocaram a geladeira por uma nova. Esta é a forma correta como todos os consumidores deveriam ser tratados.*

Depois do grande número de acessos na internet, a empresa me convidou para uma reunião com os responsáveis pelas áreas envolvidas neste caso. Disse que aceitaria o convite, contanto que fosse para ouvirem o que ocorreu comigo, e não para eu ouvir justificativas. Compareci à reunião, e tive a oportunidade de relatar todos os problemas que passei ao longo dos mais de 90 dias tentando resolver o problema com a minha geladeira.

Disse a eles que nos países de primeiro mundo os consumidores são tratados com respeito, e fatos como esses não ocorrem. E que, na qualidade de empresa multinacional, instalada em diversos países, eles sabiam como se faz um bom atendimento ao consumidor, e que bastava apenas implantar aqui no Brasil o que já praticavam no exterior.

Disse ainda que as empresas ganham no Brasil com o mau atendimento ao cliente, pois, dificultando a solução dos problemas, como ocorreu comigo, elas contam com a desistência da reclamação pelos consumidores, fato este que se dá por duas razões.

Por um lado, consumidores de baixa renda, que possuem celular pré-pago e cujos patrões não permitem que usem o telefone da empresa, não têm condições financeiras nem tempo para ficar noventa dias ligando e perdendo horas pendurados no telefone para reclamar de um bem que compraram em longas prestações em uma loja de varejo. Por outro, pessoas que têm recursos e podem lutar para fazer valer seus direitos desistem logo e compram um bem novo. E, por conta disso, quem acaba ganhando são as empresas.

Eu, por exemplo, perdi tempo e gastei horas em um telefone celular para reclamar. Poderia ter comprado uma geladeira nova, mas entendo que não podemos agir assim, temos que lutar por nossos direitos, pois só assim reverteremos essa situação.

Antes das redes sociais, tudo era mais fácil para as organizações, porque uma reclamação como a minha ficava restrita a um universo muito pequeno de pessoas do meu círculo familiar e de amizades, e isto se encerrava aí.

Com as redes sociais, se a empresa não tiver uma ação de ataque rápido, ou seja, não gerenciar a crise, pode sofrer uma repercussão imprevisível de alcance mundial, como aconteceu no meu caso.

Meu caso não foi o primeiro em que o consumidor usa a internet para reclamar, mas foi o primeiro a ter esta grande repercussão. Se você pesquisar no You Tube, verá outros vídeos de pessoas descontentes, algumas agindo de forma descompensada e desesperada, como jogar uma máquina de lavar da laje da casa, por exemplo.

Perceba que tudo isso poderia ter sido evitado. As empresas precisam rever sua forma de atender aos seus clientes, principalmente no pós-venda. Tenho certeza de que a empresa teve um prejuízo enorme com a repercussão dessa história, pois, além de ter gerado um grande boom *nas redes sociais, gerou, também, exposições na mídia televisa e escrita, como o* Fantástico, Jornal Hoje, Jornal da Band, Folha de S. Paulo, O Estado de S. Paulo, *entre outros veículos pelo Brasil, expondo a marca de forma negativa.*

Em um ano, o vídeo teve mais de um milhão de acessos e mais de 1.600 clippings relatando o caso.

Oswaldo Luiz O.Borelli

Resposta da Brastemp após tentativa de reunião para entender o processo de gerenciamento de crise na empresa e conhecer sua visão sobre a assunto

Boa tarde Patrícia, tudo bem?

Trabalho no CDM (Centro de Documentação e Memória) Whirlpool, setor responsável pelo atendimento a estudantes, e terei o maior prazer em lhe auxiliar com sua pesquisa.

Todo ano, o CDM atende estudantes de diversas instituições do Brasil que desejam realizar pesquisas sobre a Whirlpool ou nas marcas Brastemp, Consul e KitchenAid. Teremos grande satisfação em atender sua solicitação, mas, para tal, algumas observações precisam ser feitas:

1. Só serão fornecidas informações que estejam de acordo com o limite de confidencialidade estabelecido pela empresa.

2. Os prazos de atendimento serão negociados entre os pesquisadores e a equipe do CDM

3. O contato do pesquisador será sempre a equipe do Centro de Documentação e Memória: informações sobre os diversos setores da empresa serão direcionadas pelos pesquisadores para a equipe do CDM, por meio de questionários (ou outros meios previamente acordados); as respostas serão captadas internamente e encaminhada aos pesquisadores.

4. Visitas podem ser realizadas, mas para isso o estudante deverá apresentar uma carta de apresentação emitida pela instituição de ensino onde conste o nome, RG, curso e o nome do professor que está orientando a pesquisa.

Questionário:

- **A Brastemp se tornou *case* de crise nas redes sociais. Como a empresa lida com isso?**

  Bom, a empresa sempre se preocupa muito com essa situação. A crise é toda e qualquer situação que ofereça riscos à segurança ou saúde de consumidores, comunidade, colaboradores e / ou meio ambiente. Os fatos que chamam a atenção de forma adversa e abrangente e causam transtornos ou afetam a operação de uma organização também são considerados.

- **Como se deram os primeiros passos e notícias da crise?**
O consumidor passou a ser atendido por uma célula especial, na qual foi gerado um número de protocolo com o objetivo de solucionar o problema. Mas para tudo existe um prazo e infelizmente esse consumidor não aceitou as soluções propostas e acabou divulgando esse vídeo pela internet.
- **Como foi feito o gerenciamento de crise na época?**
Como dito anteriormente, o consumidor estava sendo atendido de uma forma especial, com diversas pessoas avaliando seu caso, seja engenheiros ou até mesmo a própria Autorizada.
- **O que mudou depois da crise nas redes sociais?**
Não divulgamos.
- **A empresa possuía na época gestão de crise? Possui hoje?**
Sim, sempre houve gestão de crise.
- **Depois da crise do sr. Borelli, a empresa se sente mais preparada para crises nas redes sociais?**
Sempre esteve preparada para esses acontecimentos. Sempre há um Manual de Procedimento em Situação de Crise, atualizado a cada ano, isto é, um planejamento sistemático de atendimento às situações de crise em que há a necessidade do envolvimento da área de Comunicação Institucional, definindo processos, responsabilidades e atribuições aos envolvidos, a fim de planejar a comunicação que garanta a preservação da imagem da empresa.

Desculpe, caso não tenhamos respondido todas as perguntas, mas, como dito, há um limite de confidencialidade estabelecido pela empresa.

Estamos à inteira disposição para demais esclarecimentos,

Atenciosamente,

CDM - Centro de Documentação e Memória
Whirlpool Latin America

Arezzo

O caso desta marca, fabricante de bolsas e sapatos, que vamos analisar a seguir, é diferente, pois não houve falha de produto, mas desatenção da empresa em relação às suas estratégias de marketing. Acompanhei bem de perto os fatos para efeito de pesquisa acadêmica. No dia 14 de abril de 2011, a marca lançou oficialmente a coleção Pelemania, na Rua Oscar Freire, cujo anúncio também foi feito aos internautas dias antes. Na data marcada, a Arezzo anunciou a campanha no Facebook, Twitter e demais mídias. A coleção trazia peças como bolsas, echarpes e detalhes com pele de raposa, coelho e cobra nos sapatos da coleção, que, segundo a marca, seguiam as tendências da Europa. O público na internet não perdoou, e discutiu o assunto por todo o fim de semana (entre os dias 15 e 17 de abril), colocando a marca como o Trendings Topics do Twitter.

A revolta dos internautas rendeu centenas de posts em blogs, Twitter e Facebook, além de diversas matérias na imprensa, como o jornal *Folha de S.Paulo*[50], o site de notícias UOL[51] e iG[52].

De acordo com a metodologia da análise de conteúdo, na qual se avaliam os argumentos e o tom da mensagem, os tweets do público naquele período da crise demonstram indignação, movimentação para boicotar a organização e não consumir os produtos da marca, que desrespeitou os princípios do consumidor. Além de repercutir na imprensa, veículos de comunicação presentes nas redes sociais também estamparam a notícia, multiplicando os fatos para outro grupo maior de pessoas.

---

50 Julianna Granjeia. "Arezzo retira de lojas produtos fabricados com pele exótica". Folha.com. Mercado. Disponível em: <http://www1.folha.uol.com.br/mercado/904256-arezzo-retira-de-lojas-produtos-fabricados-com-pele-exotica.shtml>. Acesso em: 23 de outubro de 2011.

51 Da redação. Depois de protestos, Arezzo decide recolher coleção com peles verdadeiras. UOL Estilo Moda. Disponível em: <http://estilo.uol.com.br/moda/ultimas-noticias/redacao/2011/04/18/depois-de-protestos-arezzo-decide-retirar-colecao-pele-mania-das-lojas.htm>. Acesso em 23 de outubro de 2011.

52 Mariana Gazzoni. "Arezzo recolhe peças com pele de animais após polêmica no Twitter". iG São Paulo. Disponível em: <http://economia.ig.com.br/empresas/comercioservicos/arezzo+recolhe+pecas+com+pele+de+animais+apos+polemica+no+twitter/n1300082648150.html>. Acesso em: 23 de outubro de 2011.

Na era da sustentabilidade, os consumidores exigem respeito por parte das marcas, com produtos ecologicamente corretos, mesmo que elas estejam com todos os certificados corretos e dentro da lei, como justificou a Arezzo. Proteger o meio ambiente, os animais e respeitar a vida já deviam fazer parte da filosofia das organizações. Ciente de que errou, no dia 18 de abril a Arezzo veio a público para anunciar a retirada do produto, com um comunicado publicado em seu site e liberado para as redes sociais e a imprensa:

> Prezados consumidores,
>
> A Arezzo entende e respeita as opiniões e manifestações contrárias ao uso de peles exóticas na confecção de produtos de vestuário e acessórios. Por isso, vimos por meio deste nos posicionar sobre o episódio envolvendo nossas peças com peles exóticas – devidamente regulamentadas e certificadas, cumprindo todas as formalidades legais que envolvem a questão.
>
> Não entendemos como nossa responsabilidade o debate de uma causa tão ampla e controversa. Um dos nossos principais compromissos é oferecer as tendências de moda de forma ágil e acessível aos nossos consumidores, amparados pelos preceitos de transparência e respeito aos nossos clientes e valores.
>
> E por respeito aos consumidores contrários ao uso desses materiais, estamos recolhendo em todas as nossas lojas do Brasil as peças com pele exótica em sua composição, mantendo somente as peças com peles sintéticas. Reafirmamos nosso compromisso com a satisfação de nossos clientes e com a transparência das atitudes da Arezzo.
>
> Atenciosamente,
> Equipe Arezzo

Os gestores da empresa cometeram algumas falhas no que diz respeito ao gerenciamento de uma crise nas redes sociais: entraram na crise sem planejamento; demoraram para dar as respostas – três dias é um tempo muito longo nas redes sociais; faltou o alinhamento do discurso; comunicado para a imprensa é diferente daqueles para as redes sociais, que precisam de aproximação e interação maior; faltaram profissionais adequados que direcionassem a solução da crise e a forma correta de escrever o comunicado.

De acordo com a análise retórica, "instrumento de pesquisa crítica da comunicação que envolve a descrição, análise, interpretação e avaliação de atos retóricos",[53] a Arezzo anunciar em um comunicado de crise: "*Não entendemos como nossa responsabilidade o debate de uma causa tão ampla e controversa. Um dos nossos principais compromissos é oferecer as tendências de moda" não condiz com um* discurso organizacional coerente de uma marca que preza pela sua imagem institucional. Princípios éticos fazem, sim, parte dos atos retóricos.

Nesta era em que as organizações se tornam emissores de informação e são observadas por meio dos seus atos, não dá para a empresa se pronunciar dizendo que não cabe à marca debater um assunto tão polêmico. Sim, cabe à marca discutir assuntos referentes à origem da sua matéria-prima, e é de sua responsabilidade saber o que está produzindo, qual tipo de mão de obra e os processos usados. "Diante de uma crise de legitimidade, a organização perde, ou corre o perigo de perder, um dos maiores tesouros, segundo a Bíblia: seu bom nome".[54]

O interessante da crise da Arezzo é que a repercussão se iniciou na internet, e não na imprensa, como geralmente acontecia anos atrás. O debate do público indignado ganhou as redes sociais, e a imprensa noticiou o caso, o que demonstra a grande importância de os gestores saberem como realizar a gestão e o gerenciamento de crise nas redes sociais. Na segunda-feira, dia 18, quando a marca se pronunciou, o presidente deu algumas entrevistas, afirmando que não concordava com a retirada do produto do mercado, porque era uma tendência de moda, mas que estava respeitando o consumidor e os internautas.

A resposta mal redigida da Arezzo demonstra o despreparo das organizações e seus gestores de comunicação para lidar com as crises nas

53 HALLIDAY, "Discurso organizacional: uma abordagem retórica", p. 43.

54 Idem, p. 48.

redes sociais. Percebe-se que nas entrevistas dadas faltou sensibilidade para entender a crise e o posicionamento correto a ser tomado. O que precisa ficar claro é que a dinâmica das redes sociais é outra; o público, o tom da mensagem e a abordagem são diferentes.

De acordo com o princípio de gerenciamento de crise – ou seja, no momento em que ela acontece –, uma das ações é entender que, quando sua marca está envolvida em uma crise de qualquer espécie, independentemente se a empresa está certa ou errada, o problema deve ser visto como sendo da empresa, para assim tentar resolver da melhor forma. Afinal, a organização está envolvida em um escândalo, em uma situação de desequilíbrio. Os outros erros estratégicos da organização foram, primeiro, não ter compreendido a crise, e, segundo, não ter elaborado um discurso apropriado para seus *stakeholders*. O presidente da organização tirou o produto do mercado, mas continuou defendendo que a marca estava certa em seguir a tendência da moda, e que não lhes cabia discutir o tema da pele de animais.

Não saber gerenciar uma crise pode fazer que a empresa entre em outra. E isto é o pior que pode acontecer, pois a reversão do caso se torna um processo muito mais complexo.

Renault

Após diversas frustrações com seu carro Megane, da Renault, Daniely de Andrade Argenton criou o site www.meucarrofalha.com.br, colocou-o no ar no dia 17 de fevereiro de 2011 e o divulgou nas redes sociais. Sem ter noção da repercussão que teria, Daniely conseguiu mais de 700 mil acessos e mais de 2 mil seguidores em um mês.

Tudo começou em fevereiro de 2007, quando foram identificadas falhas no motor do carro, pouco tempo depois da sua compra em Concórdia (SC). Entre idas e vindas da concessionária, além de ligar para o SAC, Daniely entrou na Justiça pedindo seu dinheiro de volta, já que o carro tinha dois anos de garantia. Sem resposta, por conta da burocracia da Justiça brasileira, ela foi para as redes sociais. Somente após esta atitude a Renault tomou providências. Além de ter sido um assunto comentado nas redes sociais, também foi pauta para meios de comunicação importantes do setor, como *Quatro Rodas*[55] e *Exame.com*.[56]

A Renault devolveu o valor do carro à cliente e doou um Clio 0KM para a AACD, como forma de reparar o dano à marca, juntamente com o seguinte comunicado aos veículos de comunicação:

> Sobre o caso da cliente Daniely de Andrade Argenton, a Renault do Brasil informa que hoje, 23 de março, o caso chegou a uma conciliação após encontro entre representantes da empresa e da consumidora.
>
> A empresa reconhece que houve falhas em seus procedimentos internos e lamenta o acontecido. Porém, a Renault reforça que sempre buscou, junto aos representantes da cliente, uma solução conciliadora para o caso.
>
> A Renault do Brasil reafirma que a satisfação de seus clientes é o principal foco da empresa. O objetivo da marca é tornar os modelos comercializados pela marca referências em termos de qualidade de produto e de serviços no mercado nacional.

Na era da Sociedade da Informação, as empresas também precisam contemplar no processo de gestão de crise um comunicado adequado para as redes sociais. Como explicado no Capítulo 1, as redes sociais permitem proximidade e reciprocidade. Sendo assim, a linguagem para um comunicado deve ser adaptada e adequada ao tipo de meio para o qual será enviada a informação.

Americanas.com

Quem entra no site das Americanas.com talvez não associe sua tradicional história, que não se iniciou na internet, mas em 1929, quando os americanos John Lee, Glen Matson, James Marshall e Batson Borger

55 Bruno Roberti. Renault e Proprietária "Meu carro falha" chegam a acordo. Disponível em: <http://quatrorodas.abril.com.br/noticias/renault-proprietaria-meu-carro-falha-chegam-acordo-285050_p.shtml>. Acesso em: 23 de outubro de 2011.

56 Da Agência de Notícias ADNEWS. Cliente põe Renault nas redes sociais à la Brastemp. Disponível em: <http://exame.abril.com.br/marketing/noticias/cliente-poe-renault-nas-redes-sociais-a-la-brastemp>. Acesso em: 23 de outubro de 2011.

embarcaram em um navio com destino a Buenos Aires com a ideia de abrir uma loja com preços baixos. No navio, eles conheceram dois brasileiros, que os convidaram para conhecer o Rio de Janeiro. Foi então que perceberam que, ali, havia muitos funcionários públicos com salários modestos. A partir da análise da necessidade do público, nasceu a primeira Lojas Americanas em Niterói, em 1929. No mesmo ano, foi aberta uma loja em São Paulo.

Lembro-me de que, ainda criança, quando não havia shoppings distribuídos pela cidade, era uma alegria visitar a Lojas Americanas na Rua Direita, no centro de São Paulo. Um passeio para tomar sorvete ou comer *waffle*. Esta foi uma tradição nos anos 1960, 70 e 80. Importante pontuar este detalhe para demonstrar quanto a marca faz parte da história de muitas famílias e da lembrança de centenas de crianças, que também enchiam os olhos de alegria com os brinquedos com preços baixos.

Em 1999, a Lojas Americanas ganhou a internet a fim de acompanhar a tendência do comércio eletrônico. Acompanhei o período de lançamento da marca, trabalhando como repórter no site de notícias de tecnologia CanalWeb. Sua vantagem era que a marca chegava ao mundo virtual com uma reputação estabelecida, já que tinha a confiança dos consumidores, fornecedores e funcionários conquistada no meio externo. Em decorrência disso, o sucesso *on-line* também seria garantido.

Em 2006, o grupo abriu a B2W Companhia Global de Varejo, a partir da aquisição dos sites Submarino.com e Shoptime. Com isso, a empresa se tornava um gigante do comércio eletrônico, com três centros de distribuição, 1.500 funcionários e capacidade para entregar cerca de um milhão de encomendas por mês. Esses fatores permitiram que os consumidores confiassem mais nas três marcas, cujos atributos eram: preço baixo, fácil navegação, segurança de pagamento e entrega garantida. Tamanha era sua reputação, que, ao longo de 2006 o Procon registrou somente 131 reclamações.

Quatro anos depois, em 2010, as ações da B2W caíram 32%, e começaram os problemas internos. Envolvida pelas questões financeiras, a B2W cometeu o erro que agravaria mais o problema e colocaria a empresa em uma crise que abalaria sua reputação: não entregar corretamente nem no prazo prometido as compras eletrônicas de seus clientes. O problema se agravou no Natal, quando as pessoas fazem suas compras e querem recebê-las até a meia-noite, quando o Papai Noel passa de casa em casa. A expectativa dos consumidores não foi atendida. Em janeiro, a empresa já contava 24 mil queixas no site Reclame Aqui. Tais reclamações foram repercutidas em vários veículos, mas a *Exame*[57] estampou uma matéria de capa com a polêmica da marca.

O problema se arrastou até maio de 2011, quando a Justiça do Rio de Janeiro determinou que a Americanas.com não poderia realizar novas vendas até que todas as entregas pendentes fossem normalizadas. Caso a empresa descumprisse a determinação, sofreria uma multa de 20 mil reais por dia. Esta determinação da Justiça foi notícia em grandes jornais do País, incluindo sites (entre eles, Folha.com[58], G1[59]). Na ocasião, a Americanas.com declarou que não se posicionaria. Foi nesse momento, como pesquisadora do assunto de crise, que comecei a acompanhar o caso.

A Americanas.com desrespeitou a ordem judicial e continuou vendendo, o que demonstrou sua falta de respeito com o consumidor. Uma semana depois, no dia 2 de junho,[60] a Justiça elevou a multa de 20 mil para 100 mil reais.

No meio de toda a crise, a Americanas.com se esqueceu de dar satisfação aos seus clientes, e no fim de semana seguinte da determinação judicial a estratégia da empresa foi intensificar as promoções, ou seja, incentivar as vendas sem dar satisfação ao cliente quando a compra seria entregue. Nem no site da B2W houve um posicionamento aos

---

57 Renata Agostini e Carolina Meyer. "Empresas em guerra com o consumidor". Revista *Exame*. Edição de 4 de maio de 2011.

58 Cirilo Junior. "Justiça proíbe Americanas.com de vender no Rio de Janeiro". Disponível em: <http://www1.folha.uol.com.br/mercado/921275-justica-proibe-americanascom-de-vender-no-rio-de-janeiro.shtml>. Acesso em: 23 de outubro de 2011.

59 Do G1 em São Paulo. "Justiça proíbe novas vendas da Americanas.com no Rio". Disponível em: <http://g1.globo.com/economia/negocios/noticia/2011/05/justica-proibe-novas-vendas-da-americanascom-no-rio.html>. Acesso em: 23 de outubro de 2011.

60 Bernardo Tabak. "Americanas.com segue vendendo no RJ e Justiça eleva multa". Disponível em: <http://g1.globo.com/economia/negocios/noticia/2011/06/americanascom-segue-vendendo-no-rj-e-justica-eleva-multa.html>. Acesso em: 23 de outubro de 2011.

stakeholders do que estava acontecendo na empresa, o que, claro, fez as ações despencarem.

Os problemas continuaram ao longo de 2011, e em março de 2012 a confusão se estendia, até o Procon de São Paulo determinar a suspensão das vendas de todos os sites da B2W por 72 horas, em razão das mais de 1.500 queixas feitas por consumidores em 2011. Mais polêmica, mais queixas, e uma péssima imagem diante do maior bem de uma empresa: seus clientes.

Ter falhas na logística da empresa não é um problema maior, mas não dar satisfação nem retorno ao consumidor é o caminho certeiro para o início de uma crise de imagem. O consumidor, que compra em qualquer loja, merece uma satisfação verdadeira e honesta do que aconteceu e quando terá seu problema resolvido. Não dar resposta, ou dar uma resposta indevida, gera uma crise.

Já se sabe que o consumidor perdoa empresas com problemas, desde que ajam com transparência e honestidade no quesito dar retorno ao consumidor.

O caso do nadador Cesar Cielo[61]

O nadador Cesar Cielo, que ganhou destaque por suas inúmeras medalhas e quebras de recordes, não podia imaginar que seu nome um dia estaria nos jornais de forma negativa, envolvido em um caso de *dopping*. Ao mesmo tempo que este assunto é polêmico e controverso, é de interesse discuti-lo, principalmente pela forma de como o desportista e sua equipe conduziram o problema do exame positivo de *dopping*, no qual se constatou a substância furosemida em seu organismo. Ao analisar sua postura durante seu pronunciamento em uma coletiva de imprensa (1º de julho),[62] era claro que não tinha sido preparado para aquilo: nervoso, tenso, inquieto e trêmulo, o que demonstrou ao receptor da mensagem

61 Caso também analisado no blog da autora www.patriciateixeira.com.br. Acesso em: 5 de julho de 2011.

62 Análise baseada na coletiva dada pelo nadador no dia 1º de julho. Disponível em: <http://video.globo.com/Videos/Player/Noticias/0,,GIM1552489-7823-CESAR+CIELO+DIZ+NAO+TER+SIDO+NEGLIGENTE+EM+CASO+DE+DOPING,00.html>. Acesso em: 23 de outubro de 2011.

insegurança nas informações. Não estou questionando se Cesar Cielo está certo ou errado, pretendo apenas analisar a mensagem transmitida direta e indiretamente – ou seja, a mensagem subliminar.

Com inúmeros microfones, flashes e várias pessoas à sua frente, interessadas em saber o que tinha acontecido, Cesar Cielo tira uma folha de papel do bolso do paletó, lê o pronunciamento com voz nervosa, despreparado para aquela situação tensa. Em casos assim, mesmo que o porta-voz não tenha recebido um treinamento antes, sua equipe, ou um profissional de comunicação habilitado, poderia orientá-lo como proceder em termos de postura, tom de voz e condução do caso.

Atletas vivem do sonho e da admiração de uma nação, neste caso, o Brasil. Em um processo de gerenciamento de crise é necessária a humanização, ou seja, ser ele mesmo como pessoa. A mensagem de Cielo era para ser preparada previamente pela equipe de comunicação, e não somente lida. Ele poderia falar pouco, mas com suas próprias palavras. Recusar-se a responder perguntas é fugir do problema. No processo de gerenciamento de crise, são de suma importância transparência, esclarecimento e demonstração de confiança. Na minha visão, a figura de um médico daria um peso técnico para validar o que aconteceu com o corpo do atleta. Se se está envolvido em uma crise, não importa se tem razão ou não, já se está implicado em um problema, e deve-se encará-lo de frente. Assumir que errou não é problema, mas, sim, demonstra clareza e disponibilidade de não mais errar.

Agora, o leitor deve estar se perguntando: onde estão as redes sociais nisso? Cesar Cielo não deu um posicionamento em seu site nem em seu blog pessoal. O único encontrado foi no site da assessoria de imprensa, e o nadador somente colocou em seu Twitter um link para o comunicado. Isso foi no dia 1º de julho, e seu próximo post aconteceu no dia 4 de agosto. Acredito que quem acompanha a carreira do nadador gostaria de ter tido um contato mais próximo, e que isto tivesse acontecido nas redes socais.

Clubes, confederações desportivas e atletas precisam estar preparados para os momentos de crise, pois ninguém está imune a ela. Faz-se necessário gerir a crise, pois, como já dito, ninguém consegue planejar nem pensar em detalhes no momento em que ela eclode. Saiba como conduzir previamente, porque o sucesso do pós-crise dependerá exclusivamente disso. Também não se esqueça das redes sociais, expondo mensagens certas e constantes para seus diferentes públicos.

Spa dos Bichos

No dia 2 de agosto, o Spa dos Bichos, um pequeno *pet shop* do bairro do Ipiranga, em São Paulo, não imaginava que ganharia as páginas do jornal de forma negativa e, por consequência, seria um dos assuntos mais discutidos nas redes sociais.

A dona de casa Roseli de Mauro Alfani levou seu cachorro para um banho e, quando foi buscá-lo, recebeu a notícia que ele tinha morrido. Segundo o *pet shop*, quando seu funcionário saiu para ligar para ela, o cachorro pulou da bancada e se enforcou.

Esta história foi notícia no caderno Cotidiano da *Folha de S. Paulo*,[63] e destaque no Facebook e Twitter. Por que é interessante contar a história do pequeno *pet shop* que sofreu uma fatalidade? Importante, antes, destacar que desde micro até grandes negócios podem se deparar com uma crise e ver-se na iminência de fechar o negócio ou perder seus clientes.

Zara

A marca espanhola Zara, presente em mais de 75 países, conhecida mundialmente por suas coleções elegantes e modernas, deparou-se com uma crise de imagem em agosto de 2011, quando o Ministério do Trabalho flagrou oficinas de costuras, que confeccionavam as roupas da marca, escravizando mão de obra. Além de os funcionários estrangeiros, a maioria boliviana, viverem em regime de escravidão, ainda eram obrigados a se sujeitar a condições sub-humanas e a riscos de acidentes.

---

63 Luiza Alcântara Silva. "Giginho, cachorro vira-lata, morre enforcado em *pet shop* em São Paulo". *Folha de S. Paulo*. Caderno Cotidiano, edição de 5 de agosto de 2011.

O flagrante foi feito pelo site de notícias Repórter Brasil[64] e pelo programa *A Liga*, da TV Bandeirantes. Segundo a reportagem, era a terceira vez que a equipe de fiscalização do governo federal tinha encontrado oficinas fora da lei. Pelo relato da *Folha de S. Paulo*,[65] a irregularidade foi registrada em três oficinas (duas na capital paulistana e outra em Americana, no interior de São Paulo). Além de adultos, foi encontrada uma menor de 14 anos trabalhando em condições inadequadas.

O assunto, além de ganhar o palco da mídia, trouxe uma grande repercussão nas redes sociais, tornando-se o Trending Topic do Twitter.

A Zara reconheceu o problema – o que é um ponto positivo –, e pagou os direitos cabíveis àqueles trabalhadores, mas falhou em alguns quesitos no processo de gerenciamento de crise: demorou para se manifestar e dar respostas à imprensa, às redes sociais e aos demais públicos, e, no discurso apresentado em seu comunicado à imprensa, afirmou que a terceirização da oficina não era autorizada. Na minha análise, na era da sociedade do risco, torna-se fundamental que as empresas conheçam seus processos e não privilegiem lucro em vez da qualidade produtiva e da idoneidade de seus fornecedores.

Por outro lado, mais um ponto positivo da Zara foi se colocar à disposição do Ministério do Trabalho para resolver o caso e contribuir com as investigações. Outras empresas adotam a conduta de negar o fato e não se dispõem a ajudar na resolução.

Outra dica observada nesse caso foi a presença da advogada da empresa no gerenciamento da crise. Advogados possuem uma visão jurídica, já a equipe de marketing e comunicação tem um olhar sobre o impacto na imagem da marca e, consequentemente, nas vendas.

---

64 Bianca Pyl e Maurício Hashizume. "Roupas da Zara são fabricadas com mão de obra escrava. Agência de Notícia Repórter Brasil. Disponível em: <http://www.reporterbrasil.org.br/exibe.php?id=1925>. Acesso em: 23 de outubro de 2011.

65 Felipe Vanini Brunning e Márcio Neves. "Zara reconhece trabalho irregular em três confecções de SP". Folha de S. Paulo. Caderno Mercado, edição de 17 de agosto de 2011.

Hopi Hari

No dia 24 de fevereiro de 2011, por volta das 10h20, um acidente marca a história do maior parque de diversões da América Latina, o Hopi Hari, em Vinhedo, interior de São Paulo. A brasileira Gabriella Yukari Nichimura, 14 anos, com cidadania japonesa, estava passando férias no Brasil, e dos passeios escolhidos para as férias um foi o Hopi Hari. Na atração La Tour Eiffel, também conhecida como elevador, os frequentadores sobem até uma altura de 69,5m e dali despencam. Na marca dos 30metros, os freios são ativados para diminuir a velocidade. Após esta frenagem, Gabriela caiu de uma altura de 20 a 25 metros de altura. O parque foi fechado quase três horas depois, após o completo esvaziamento da área.

Para a imprensa, o blog da empresa e as redes sociais Twitter e Facebook, foi postado um comunicado:

> O Hopi Hari informa que por volta das 10h20 de hoje houve um acidente envolvendo uma visitante na atração La Tour Eiffel. Ela foi socorrida e levada para o Hospital Paulo Sacramento, na cidade de Jundiaí, aonde chegou em óbito.
>
> O parque lamenta profundamente o ocorrido, está prestando toda a assistência à família da vítima e apoiando os órgãos responsáveis na investigação sobre as causas do acidente.
>
> Hopi Hari

Analisando os jornais *O Estado de S. Paulo* e *Folha de S. Paulo* do dia 25 de fevereiro, o Hopi Hari agiu adequadamente no gerenciamento da crise, passando informações sobre o parque e colocando à disposição os documentos para a fiscalização. Por outro lado, as redes sociais não têm a mesma dinâmica que os veículos impressos, disseminando informações, comentários, compartilhamento e retuítes com maior velocidade. E, para estas, o que piorou ainda mais a crise é que o parque abriu suas portas no dia seguinte do acidente, expondo a marca aos piores comentários.

Este é um caso que se iniciou nos meios *off-line* e ganhou volume nas redes sociais. Cabe às empresas adotar as redes socais no processo de gestão e gerenciamento de crise, postando mensagens adequadas ao meio e esclarecendo dúvidas à medida que for tendo as informações na mão.

O Hopi Hare, sempre teve uma comunicação efetiva com seu público em momentos de calmaria, e para este mesmo público, que o acompanha todos os dias, é necessário dar uma resposta constante dos fatos. Agindo assim, é possível abastecer a opinião pública com informações corretas e pertinentes.

Dez dicas do que aprender com crises como essas

1. Não subestimar a força do consumidor.
   a. O cliente somente busca as redes sociais ou qualquer outra mídia após diversas tentativas no Serviço de Atendimento ao Consumidor ou na própria loja.
   b. As empresas não tomaram providências na primeira queixa.
   c. O consumidor com grande histórico de tentativas sem solução ganha a solidariedade dos colegas internautas.
2. Entender a dinâmica das redes sociais.
   a. Saiba o que se está falando da sua marca em tempo real para agir rápido.
3. Não tomar atitude nas primeiras três horas de crise permite que ela ganhe maior proporção.
   a. A dinâmica da internet prevê que o ideal seja na primeira hora.
   b. Aja rapidamente. Demorar em dar respostas permite que o caso ganhe retuítes, chegando a um número maior de pessoas.
   c. Quando uma empresa não se posiciona rapidamente, surgem outras fontes para falar do assunto.
   d. Na ausência de uma resposta rápida para interceptar a crise, também surgem outras histórias similares de outros consumidores. Todos colocam seus problemas na mesa para discussão daquela marca.
   e. Agir com prontidão indica que a empresa não está disposta a se envolver em uma crise.

4. Dar respostas em forma de comunicado deixa a mensagem dura, não sensibilizada com o caso. Internet é aproximação.
   a. Exponha a mensagem corretamente.
   b. Explique o que aconteceu e quanto a empresa está disposta a revolver.
5. Durante a crise, não dizer nada ao público gera outra crise, pois transmite a mensagem de que aquele fato não é importante para o negócio.
   a. Para o público, a leitura é de desinteresse.
6. Quando a crise é *off-line*, mas com repercussão *on-line*, considerar o gerenciamento *off* e *on-line*, com alinhamento das mensagens, porém considerando que os meios são diferentes.
7. Ser transparente e falar a verdade sobre o problema permitem que o consumidor entenda a situação até o momento da solução.
8. Envolver-se com o problema. Independentemente de sua marca estar certa ou errada, esteja disposto a resolver, pois é a sua reputação que está em jogo.
9. Entender quando é necessário tirar produto do mercado e o que responder ao consumidor.
10. Advogado não gerencia crises de imagem, pois seu olhar está voltado somente às questões jurídicas.

CAPÍTULO 5

SUA EMPRESA PODE SER A VÍTIMA DA PRÓXIMA CRISE

Posso afirmar que este é o capítulo mais importante deste livro. Afinal, o principal trabalho da gestão de crise é evitar ao máximo que ela aconteça, mas, se e quando acontecer, é preciso saber exatamente o que fazer com rapidez, calma e serenidade, tomando medidas certas e dando respostas adequadas aos diferentes públicos da empresa.

Digo isto porque tenho visto as empresas contando vantagens por ter uma equipe de gerenciamento de crise, que monitora a marca constantemente. Claro que este trabalho é fundamental, mas, quando a crise acontece, esta equipe sabe o que fazer? O que dizer? Quais as primeiras medidas a serem tomadas? A empresa está treinada e capacitada para resolver rapidamente um indício de crise? O que vale não é o gerenciamento, e, sim, uma eficiente gestão de crise. Essas são perguntas às quais deve-se prestar atenção.

Também tenho visto empresas que contratam um serviço de monitoramento, recebem o relatório no final do mês, para só então analisar o que foi dito da marca e dos produtos. O gerente de uma empresa do setor de motocicletas me contou, com orgulho, que havia contratado exatamente este tipo de serviço. E que, a partir do recebimento do relatório, lia, analisava, para depois tomar medidas apropriadas. Então, respondi-lhe: "De nada vale seu relatório de monitoramento de redes sociais se você não responde imediatamente a uma insatisfação ou a uma dúvida do seu consumidor. Nas redes sociais, não se pode deixar que uma crise venha a eclodir. Tudo tem de ser aqui e agora, por conta da própria dinâmica da rede. Após trinta dias, não dá mais para pensar em reverter algo".

As crises na internet não escolhem vítimas por esse ou aquele motivo. Qualquer empresa está propensa a enfrentar uma crise. O caso do cachorro que faleceu no Spa dos Bichos é um exemplo de que, independentemente do tamanho do negócio, ele pode virar notícia e ter uma repercussão negativa, que pode afetar seus rumos financeiros. O assunto foi pauta na *Folha de S. Paulo*, e imediatamente ganhou o palco das redes sociais. Só na página da notícia havia 557 comentários[66] de pessoas criticando o *pet shop*, e outras centenas debateram o assunto no Twitter e no Facebook. Nessas situações, saber o que fazer e como se posicionar pode dar outro rumo à história, garantindo a sobrevivência do negócio.

Não são somente as pequenas empresas que são despreparadas. A Brastemp, marca conhecida como sinônimo de qualidade, também não previu que estaria associada ao vídeo de um consumidor relatando sua experiência negativa com um produto seu. Como dito no Capítulo 4, tais crises servem para que todos possam aprender com elas. As respostas devem ser rápidas e assertivas, afinal, o desejo da organização não é ver seu nome exposto em um grande palco com todos lhe apontando o dedo.

A principal lição que tiramos dos *cases* do capítulo anterior é que as empresas devem trabalhar e monitorar constantemente para que as crises não aconteçam, seja no ambiente externo seja *on-line*. Prevenção não é custo, é investimento e uma estratégia diferenciada para evitar que a reputação da organização esteja envolvida negativamente. Vou fazer uma associação com a medicina. O que é mais eficiente, fazer a prevenção de uma doença, ou tratá-la em estágio avançado? Portanto, detecte os sintomas da doença e já pense em como contê-la para não virar algo mais sério. Qualquer médico concordará comigo. E é a partir desta premissa que viemos falando do trabalho de gestão de crise.

---

66 Número baseado nos comentários da matéria "Giginho, cachorro vira-lata, morre enforcado em pet shop em SP". Disponível em: <http://www1.folha.uol.com.br/cotidiano/954980-giginho-cachorro-vira-lata-morre-enforcado-em-pet-shop-de-sp.shtml>. Acesso em: 25 de outubro de 2011.

Bradesco: SAC 2.0 ou gestão de crise?

Este é um caso diferenciado, que deve ensinar muitas organizações.

Já acompanhando as tendências de comunicação, em outubro de 2009 o Bradesco adotou uma estratégia diferenciada em relação às mídias sociais. Sob a coordenação de Marcelo Salgado, especialista em mídias sociais pela FAAP, formou-se uma equipe de apenas duas pessoas, inicialmente para trabalhar somente o Twitter. Em dezembro de 2010, foi dado mais um passo, um trabalho direcionado ao Facebook, e, em novembro de 2011, o Google +. Além dessas redes, também há um monitoramento do You Tube e do Reclame Aqui. Para atender toda a demanda, em setembro de 2010 a equipe já tinha dez pessoas dedicadas, e detectou-se a necessidade de dividir o departamento em estratégia e monitoramento. No Twitter, são dois perfis: @Bradesco, que tem objetivo mais institucional, e @AloBradesco,cuja proposta é o atendimento ao cliente.

O departamento de redes sociais está ligado ao de Internet, e não ao Marketing ou Comunicação, o que permite ter acesso facilmente a todos os departamentos do banco. Os profissionais de mídias sociais estão de prontidão 24 horas por dia, sete dias por semana, inclusive feriados.

Quando um cliente reclama nas redes sociais, a equipe abre um chamado, como se fosse o SAC; recebe a reclamação e a direciona para o gestor do produto, que deve solucionar o caso no mesmo dia, sempre sob o acompanhamento desta equipe. Em casos mais complicados, a resposta final leva até dois dias para ser comunicada, mas o cliente é informado do processo.

As principais queixas giram em torno de produtos, agências e cartões de crédito. Um dos diferenciais da estratégia é mostrar que existe um ser humano, e não um robô, no atendimento, o que garante a melhor solução do caso, com transparência e simpatia. Os profissionais que trabalham nas redes sociais vieram do SAC, o que faz com que carreguem o DNA da empresa e sejam especialistas em conversar com o cliente.

Este procedimento do Bradesco já faz parte do planejamento e gestão de crise, apesar de assim eles não o denominarem. Assuntos mal resolvidos não ganham força, são solucionados de imediato.

Para melhor acompanhamento dos casos, diariamente é feito um relatório com as informações dos assuntos abordados, gestores responsáveis, de onde vieram, como começaram, quanto tempo levou e o andamento de cada caso. Isto permite um melhor controle e, sobretudo, retroalimenta a organização de informações e *feedbacks* de melhoria nos processos, atendimento e produtos.

Para o Bradesco, redes sociais são conexões entre pessoas, espaços de conversação, interação e compartilhamento. Participar dessas conversações é estratégico, pois o banco entende que proporcionar bons encontros e melhorar experiências são fundamentais para a sustentabilidade de qualquer negócio.

Como dito no Capítulo 2, gestão de crise é um trabalho de planejamento, ou seja, administração estratégica caso uma crise aconteça. Quando a crise dá sinal, o que se deve fazer? Com quem contar? Quais as primeiras medidas a tomar? Convocar o comitê de crise? Deve-se direcionar o problema ao departamento indicado? Este está pronto para receber a notificação e solucioná-la?

Quando uma crise nasce, na maioria dos casos por conta de um risco não administrado, um conjunto de ações deve ser colocado em prática para que o problema não fique ainda maior. Tais ações devem ser realizadas previamente, testadas, simuladas e treinadas com as pessoas envolvidas.

De acordo com Mitroff,[67] gestão de crise contempla as seguintes ações: levantar os sinais que apontam problemas, fazer um estudo efetivo de prevenção e, após, um plano de contenção.

Goodman[68] também aponta que o benefício de se realizar um plano de gestão de crise é, além de trazer uma resolução efetiva, conseguir que a empresa mantenha normais suas operações, ainda que envolvida em um escândalo. Afinal, o negócio não pode parar. Nessas situações, a comunicação se torna eficaz para informar e motivar os colaboradores, e manter clientes e demais públicos informados.

---

67 MITROFF, *Managing crises before they happen.*

68 GOODMAN, *Corporate Comumnications for executives.*

Para completar o leque de definições que ajuda a compreender a terminologia, é importante citar Katheleen Fearn-Banks,[69] que define a gestão de crise como um processo de plano estratégico para uma crise ou um ponto negativo da organização. Tal processo tem a função de remover alguns dos risco, permitindo que a organização esteja no controle do seu próprio destino.

Mas como elaborar a gestão de crise nas redes sociais. Com base nos estudos feitos por González-Herrero e Smith[70] (2008) e Mei, Bansal e Pang (2010),[71] pude aprimorar o disgnóstico sobre como realizar o processo de gestão de crise nas redes sociais. Além da contribuição desses autores, para chegar a estas teorias, realizei uma pesquisa de cunho bibliográfico exploratório, cruzando conceitos de gestão e gerenciamento de crise com as teorias de comunicação digital. Sendo assim, divido este processo de gestão de crise em três etapas: *Issue Management*, Prevenção e Planejamento.

Issue Management

Existem diferentes definições para este termo. Pela tradução literal, significa gerenciamento de problemas com o objetivo de evitar crises organizacionais.

Issue Management é um processo de mapeamento das condições da empresa, em termos de análise de risco, cultura organizacional, seu posicionamento no ambiente *on-line*, a comunicação aplicada (tanto *on* como *off-line*) com os diferentes públicos, suas atitudes éticas, análise de seus produtos e serviços, de seus fornecedores, etc. Algumas análises, ou a maioria delas, servem para a construção da gestão de crise *on* e *off-line*. Apesar de este livro estar direcionado para o ambiente *on-line*, não podemos ignorar as crises que se originam *off-line* e ganham repercussão *on-line*, multiplicando os fatos para milhares de pessoas. Por isso, o ideal é

69 FEARN-BANKS, *Crisis communications: a case approach.*

70 "Crisis communications management on the web: how internet-based technologies are changing the way public relations professionals handle business crises".

71 "News Media: a News medium in escalating crises?".

que a construção deste processo seja feita em conjunto e de forma global, observando-se, do ponto de vista estratégico, o que pode dar errado em toda a operação da organização, incluindo *on* e *off-line*.

O trabalho de *Issue Management* deve ser contínuo, pois novos riscos sempre surgem, e devem ser mapeados e analisados. Há organizações que tratam deste assunto por meio de um departamento próprio, no qual há profissionais gabaritados para esse trabalho constante. Outras, chamam esta etapa de Gestão de Riscos. Em outras, ainda, o trabalho está atrelado à Gestão de Continuidade de Negócios, um departamento cuja missão é não deixar o negócio parar no momento de uma crise, colocando em prática uma série de procedimentos para a retomada da operação.

Sua tarefa é levantar os riscos e tentar evitá-los ou, pelo menos, minimizá-los. Dentro de uma organização, é importante haver uma pessoa responsável por essa atividade, que coordene a administração do problema.

Por meio das análises realizadas, o gestor saberá quais as áreas mais debilitadas da empresa, as que requerem mais atenção, e que medidas devem ser tomadas, de preferência, imediatamente. Com este trabalho, o gestor tomará conhecimento das áreas mais doentes, da gravidade e do estágio da doença. A partir desta leitura do *Issue Management*, é possível pensar nos tratamentos. Um exemplo da importância deste processo: se a Americanas.com tivesse um departamento de *Issue Management*, sua equipe detectaria a tempo que as falhas de logística levariam a uma crise caso não fossem revertidas em tempo. Afinal, estamos falando de uma loja virtual, que vende agilidade na entrega. Uma reunião com as pessoas envolvidas permitiria pensar em alternativas para solucionar o caso: troca de transportadora, contratação extra de uma transportadora para entrega dos pedidos em atraso, entre outras.

No ambiente *on-line*, as funções do *Issue Management* são:

- Analisar o tamanho da organização.
- Analisar a cultura da companhia no ambiente virtual.
- Levantar as vulnerabilidades que podem afetar o negócio neste ambiente.

- Enxergar as ameaças em âmbito global.
- Checar as vulnerabilidades que podem surgir no mundo *off-line* e se repercutir no *on-line*:
  - Durante o levantamento de riscos, analise as queixas postadas pelo público.
  - Converse com os departamentos relacionados para entender os problemas.
  - Faça uma análise dos principais problemas do setor.
  - Estude quais vulnerabilidades podem estimular o debate da opinião pública no ambiente virtual.
    - Por exemplo, o uso de pele animal em uma coleção levantará a polêmica do uso inadequado.
- A área de comunicação deve estar alinhada com a internet e ter conhecimento do assunto:
  - Todo o departamento de comunicação deve estar envolvido no processo. O marketing também é fundamental, por sua contribuição no mapeamento de riscos, como também para resolver as vulnerabilidades.
- Implantar um monitoramento *on-line* constante da marca:
  - Cada negócio requer um sistema diferenciado de monitoramento. O que é indicado para uma empresa por não ser para outra. Depende do ramo de atividade da organização, quanto se fala dela, sua presença ativa no mercado e quanto influencia o consumidor. Dependendo do caso, é necessário ter um monitoramento 24 horas, 7 dias da semana. Entenda qual a necessidade do seu negócio.
  - Ter um monitoramento que não trabalha com eficácia, de acordo com o negócio, pode vir a se transformar em uma vulnerabilidade do negócio.
- Criar um sistema de alerta.

- Identificar e registrar todas as possibilidades de domínios negativos em sites, blogs, Twitter e demais redes sociais que possam se referir à empresa:
  - Na internet, existe a onda do "Eu odeio a marca X", "não gosto a marca Y", etc.
- Identificar *stakeholders* que estejam no ambiente virtual.
- Mapear influenciadores e líderes de opinião no mundo virtual.
- Pesquisar o tom e a linguagem da mensagem que deve ser passada ao seu público; lembrando que o estilo de comunicação implantada no *off-line* é diferente do *on-line.*
- Familiarizar a equipe de comunicação corporativa com o ambiente virtual. Neste caso, promovendo treinamentos constantes.

Perceba que o trabalho do *Issue Management* é fazer pesquisas e análises que subsidiem a criação do plano de crise. É como fazer uma análise situacional – termo usado no marketing, destinado a levantar todos os pontos fortes e fracos da organização –, mapeando a empresa, sua cultura e seus produtos, serviços e processos internos. Nesta etapa, revela-se um retrato da organização e de suas possíveis ameaças. Saber quais são os possíveis inimigos permite elaborar uma estratégia de guerra adequada para não ser pego desprevenido via terra, ar ou mar.

Prevenção

Após o trabalho do *Issue Management* e a geração de um relatório das vulnerabilidades, com o índice da possibilidade de tais riscos acontecerem, entra em campo o trabalho de prevenção, que pode envolver diferentes departamentos da empresa, além da diretoria e presidência. Esta é uma etapa fundamental, pois nada adiantará o trabalho do *Issue Management* se nenhuma medida (ou poucas) for tomada.

Investir na prevenção é a estratégia mais inteligente que uma organização pode adotar, pois permitirá, além de evitar a eclosão do risco, uma melhoria de procedimentos, adoção de matérias-primas de qualidade, contratação de profissionais adequados para determinadas funções, treinamentos constantes, entre outras ações pertinentes para conter ou minimizar uma crise.

O trabalho de prevenção também deve ser constante, pois riscos novos surgem – dependendo do negócio, quase diariamente –, e precisam ser contidos. As medidas de prevenção também precisam ser analisadas e revistas, pois, em alguns casos, as ações não são adequadas, fazendo-se necessário rever o plano de contenção. Este trabalho de prevenção vale para os meios *off* e *on-line*. Fundamental pontuar que todos os departamentos da organização devem estar envolvidos e conscientizados a fim de que soluções sejam tomadas em conjunto.

Planejamento

Com todo o mapeamento e as análises em mãos, inicia-se o trabalho mais minucioso: o Plano de Gestão de Crise. Esta fase pode demorar meses, até que o plano fique adequado à realidade da organização. Claro que cada caso é um caso. Há situações em que este trabalho é constante, pois requer revisões e novas tomadas de decisão.

Comunicação estratégica digital

O primeiro passo desta etapa é desenvolver uma comunicação digital com os diferentes *stakeholders*. A comunicação eficaz contribui para a possível solução de uma crise, porém, a empresa deve investir constantemente neste aspecto para obter resultados não somente em momentos difíceis, mas para construir sua reputação no longo prazo com seus *stakeholders*. A comunicação estratégica permite a "efetividade organizacional quando ajuda as organizações a construírem relacionamentos, resolvendo os conflitos entre a organização e seus públicos".[72]

O plano estratégico de comunicação adotado e colocado em prática diariamente dentro das corporações já é uma das medidas de gestão de crise, pois não pode estar dissociado dela. A organização não

72 KUNSCH, "Planejamento estratégico para a excelência da comunicação", p. 43.

deve adotar um processo de gestão de crise se não tiver um plano de comunicação amadurecido e já possuir planos de ação em andamento, pois, quando uma crise eclode e a empresa não tem a filosofia do gerenciamento nem sabe se comunicar, terá outro problema, e talvez crie uma crise dentro da outra.

Também é importante estar presente adequadamente nos meios digitais. Fundamental frisar *adequadamente*, pois comunicação digital não é colocar promoções da empresa no Facebook e Twitter, nem criar login e postar sem critérios.

Comunicação – independente do meio estabelecido – é uma ação pela qual se transmite uma informação ao receptor da mensagem, que tem o direito de dar um *feedback* da mensagem, podendo assim criar um ciclo de idas e vindas de mensagens.

No meio digital, esta interação se torna mais intensa, porque é necessário abastecer o público de informação e estar de prontidão para a resposta, gerando assim um debate. De forma estratégica, a organização abastece este público com informações relevantes, que geram interesse e interatividade, via blog, Twitter, Facebook ou outras redes sociais. O ideal é saber fazer, colocando mensagens adequadas ao meio digital. Por exemplo, um *release* ou comunicado enviado para um grupo de jornalistas não pode ser postado nas redes sociais, pois a linguagem é totalmente diferente.

Também é adequado entender os hábitos, os comportamentos e a linguagem do público com o qual se deseja ter um relacionamento, pois o modo como age, pensa e escreve um grupo de mães que gosta de amamentar por um ano seu bebê é diferente do de um grupo de mães que defende o leite materno até os seis meses. Entenda seu público, e saiba que o desafio da comunicação atual é passar uma mensagem que seja compreendida por um número cada vez maior de pessoas.

Neste processo de comunicação digital, estabeleça um plano para o website, pois nada adiantará realizar uma comunicação eficiente nas redes sociais, se o site da empresa não estiver de acordo com as necessidades do público. Preste atenção se o site estampa todas as informações da empresa para os diferentes públicos (interno, acionistas, fornecedores, comunidade, imprensa, representantes, revendedores, governo, etc.).

Uma usina elétrica me procurou para implantar a comunicação de risco de um novo projeto. Respondi-lhes que seria necessária uma comunicação como um todo, pois as informações primárias da organização não estavam abastecidas para seu público. Na Sociedade de Rede – termo usado pelo sociólogo Manuel Castells para descrever a sociedade em que vivemos –, quando procuramos uma informação, vamos inicialmente ao Google e achamos o site da empresa. Será que podemos confiar na empresa que não tem um site que contenha suas informações básicas? No mundo atual, não ter tais quesitos é uma falha de identidade, que transmite como a organização é e pensa. Por isso, mãos à obra. Elabore um plano de comunicação para a construção do website, de tal maneira que seja atualizado constantemente com notícias da organização e do setor.

Neste processo prático de comunicação digital, também se faz necessário cadastrar-se nas redes sociais, porém, nada de sair postando informações sem uma estratégia estabelecida previamente. Faça um mapeamento do seu público de interesse, detecte os formadores de opinião, assim como os líderes virtuais, que têm força *on-line*, mas nem sempre são conhecidos no meio *off-line*. Além de atentar ao público que fala da sua marca, mapeie pessoas que se interessem pelo assunto relacionado ao seu negócio, independentemente de ser da concorrência, que fale bem ou mal.

A organização deve elaborar um plano de comunicação compatível com seus públicos, pois sua boa imagem e reputação contam muito no momento de crise. A opinião pública valida sua trajetória e as ações realizadas, e, é claro, para o público conhecer as boas ações de uma empresa, a gestão de comunicação deve ser considerada tarefa central.

Monitoramento da marca

O serviço de monitoramento da marca é uma ferramenta fundamental para o processo de gestão e gerenciamento de crise nas redes sociais, que deve estar inserido em todas as fases do processo de gestão de crise, além de contribuir muito para o direcionamento da comunicação digital, como também entender como o público está dando uma resposta ao seu produto/serviço ou à sua nova campanha.

No caso de gerenciamento de crise, o ideal é usar três ferramentas diferentes, conforme sua preferência, para evitar que algum ruído sobre uma organização passe despercebido. Existem várias no mercado. Procure uma com a qual tenha mais intimidade no manuseio e que apresente mais efetividade no resultado. No mercado, existem as gratuitas e as pagas, que dão com exatidão a situação da marca em tempo real e o balanço dos comentários positivos e negativos em relação a ela.

Por mais que haja ferramentas modernas à disposição, o fator determinante do sucesso do monitoramento é a *expertise* do profissional que estiver acompanhando o monitoramento da marca.

Criação do Comitê de Crise

Em paralelo ao plano de comunicação, dê continuidade ao de gestão de crise. Crie um comitê ou time de crise – montado com aproximadamente oito pessoas estratégicas dentro da empresa, responsáveis pelas ações a serem planejadas. Mantenha o mesmo comitê para as crises *off* e *on-line*, porém, os membros envolvidos devem conhecer a dinâmica das redes sociais.

A função deste comitê é acompanhar o levantamento das vulnerabilidades, ter certeza de que as ameaças estão em processo de prevenção, montar um plano de ação de acordo com cada risco, propor treinamento aos colaboradores para os momentos de crise e revisar as estratégias e ações constantemente.

O núcleo deve ser formado pelo "número 1" da organização (presidente ou diretor-geral, ou seu substituto na hierarquia) e pelos mais graduados nas funções de finanças, marketing, fabricação, comunicação empresarial e jurídico. Nesse time, também é importante contar com as áreas de recursos humanos, logística e tecnologia. Os departamentos integrantes mudam de acordo com a área de atuação de cada empresa. Por exemplo, em uma indústria farmacêutica é importante ter a área médica envolvida.

Na elaboração do plano, cada um terá sua função no momento de crise. É importante, e mais indicado, ter como coordenador desse time o departamento de comunicação, que tem a visão estratégica dos danos que poderão ser causados à reputação da empresa. Este coordenador tem a função de informar e reunir rapidamente os demais membros do comitê, tomar decisões e obter as respectivas aprovações.

Definição do porta-voz

O porta-voz nomeado geralmente é o presidente ou o diretor da área do assunto que está em crise. O Comitê de Crise deve saber quando o presidente ou outro diretor é necessário para se pronunciar, pois não convém expor a figura do primeiro desnecessariamente. Este porta-voz, que geralmente é treinado para dar respostas à imprensa, deve conhecer a dinâmica das redes sociais.

No momento em que acontece uma crise nas redes sociais, o porta-voz vem a público manifestar-se pelos meios digitais, e, dependendo do caso, pronuncia-se à imprensa. Outros cuidados a serem tomados: em uma crise, o presidente ou diretor, ao se pronunciar nas redes sociais, deve aparecer no login com seu próprio nome, e não atrás da logomarca da empresa. Por quê? Quando uma marca está presente em uma comunicação, não sabemos quem está atrás da máquina, se é a Luciana, o João, ou a Patrícia. Em uma crise, é fundamental a humanização, a fim de que esse porta-voz estabeleça uma comunicação com a sua contraparte. Uma alternativa é assinar o post da empresa com o nome do diretor. É importante analisar cada caso. Minha proposta é que, além de os porta-vozes fazerem *media training*[73], eles também devem ter feito o *social media training*,[74] para saber dar respostas certas e adequadas ao público e de acordo com cada rede social.

Na crise do Pão de Açúcar, quando da suposta fusão com o Carrefour – não vem ao caso discutir se certa ou não, mas entender a postura como porta-voz da marca –, Abílio Diniz, sabiamente, postou sua opinião no Twitter:

73 *Media training* é um treinamento dado aos executivos de uma organização para que se aprenda a lidar com a imprensa. No treinamento, são abordados temas como comportamento, postura, vestimenta, discurso, tonalidade de voz, etc.

74 Treinamento dado aos colaboradores, em especial os executivos da organização, em como usar as redes sociais, mensagens e fotos a serem postadas.

> Sobre a proposta de fusão com o Carrefour, indico a leitura deste artigo: bit.ly/pHqOkZ.[75]
>
> Tenho fé em Deus e acredito no meu trabalho. Tudo vai acabar bem e em breve contarei toda a história.
>
> Aproveito para também agradecer todas as mensagens de carinho postadas aqui no Twitter.
>
> Estou sendo muito criticado, mas acredito q a fusão do Pão de Açúcar com o Carrefour será boa para o País e para os brasileiros.

Diante desse posicionamento pessoal, como ser humano, o público foi levado a compreender melhor a situação, e a reputação do executivo, conquistada ao longo de toda sua trajetória, não foi afetada. Esse posicionamento fez toda a diferença na postura do porta-voz no gerenciamento de crise. No caso do Pão de Açúcar, como dito no Capítulo 2, faltou apenas mais interação com o público.

Algumas dicas de como o porta-voz deve se posicionar no momento de crise *on-line*:

- Use uma linguagem simples e didática. Se for necessário usar termos técnicos, explique-os.
- Tenha as seguintes respostas em mãos: o que, quem, quando, onde, como, por quê. Caso não saiba alguma, prometa responder assim que tiver as informações.
- Seja honesto e transparente.
- Transmita confiança.
- Seja simpático, calmo e assertivo em suas mensagens.
- Evite mensagens do tipo: "Não tenho nada a declarar sobre esta situação".
- Seja informal e use mensagens claras.

---

75 "Nota à imprensa" escrita por Abílio Diniz e disponível em http://abiliodiniz.uol.com.br/eu-abilio/opiniao/. Acesso em: 17 de outubro de 2011.

Muitas dessas indicações valem para o *media training*, porém, lembre-se de que o público na internet não é de jornalistas, e sim pessoas interessadas ou afetadas pelo assunto em questão.

Criação do manual de crise *on-line*

Nesta etapa, o gestor redige o manual de crise *on-line*, no qual relatará todas as medidas a serem realizadas no desencadear de uma crise. Este manual se torna importante, pois determina quem tomará as primeiras ações, os próximos passos e seus responsáveis. Como já foi dito, é muito difícil pensar no que fazer no momento em que eclodem os primeiros sinais de uma crise.

Planejar nessas horas torna-se quase impossível, pois o gestor terá somente pensamentos dirigidos a como terminar a crise, sem pensar se aquela decisão é o melhor caminho ou não. Também nesses momentos de aflição, é difícil encontrar os líderes de opinião no mundo *on-line*, ou blogueiros que tratam do assunto, ou jornalistas que trabalham no meio *on-line*. E, mais, como serão os comunicados para os *stakeholders*? Tudo isso deve estar contemplado no manual de crise, que pode ficar na rede, ou intranet, da empresa, de tal maneira que novas vulnerabilidades sejam identificadas e logo incluídas no plano com facilidade. Algumas empresas preferem tê-lo impresso para maior agilidade. Ter a versão impressa é mais uma opção, pois, caso a internet, a energia, ou outros dispositivos tecnológicos falharem, há uma versão na mão para as primeiras medidas.

O que deve constar no Manual de Crise? Como elaborá-lo? Como explica Mitroff,[76] não existe uma fórmula para gestão e gerenciamento de crise. Em razão da teoria da individualidade de cada caso no processo de gestão de crise, não existe uma fórmula a ser seguida quando da redação do manual de crise. Porém, como contribuição, segue um roteiro de orientação.

76 MITROFF, *Managing crises before they happen.*

1. Enumere as vulnerabilidades, relacionando a probabilidade de acontecimento e os possíveis danos a serem causados.
2. Indique os sinais de alerta.
3. Relacione as pessoas envolvidas no Comitê de Crise.
4. Enumere as primeiras ações que devem ser realizadas no período de uma, duas e quatro horas:
   A. No processo de gerenciamento de crise *on-line*, o tempo de resposta deve ser de até uma hora, por conta da rapidez do meio em multiplicar os efeitos da crise.
   B. Defina a mensagem que será postada de imediato.
5. Enumere os públicos de interesse da organização que merecem ser comunicados dentro das primeiras horas.
6. Especifique o que deve ser feito quando uma crise for desencadeada:
   A. Convocar o comitê de crise.
   B. Manter todos os telefones e diversos meios de contatos atualizados.

Ao ser convocado pelo comitê, todos devem saber o que fazer e estar preparados. Por conta disso, o treinamento é importante para que tudo ocorra com precisão.

   C. Nomear o porta-voz para a imprensa.
   D. Esta figura deve ser selecionada cuidadosamente, pois transmitirá as informações de dentro da organização para o público externo, no caso, as redes sociais e a imprensa.
      a. De acordo com cada vulnerabilidade, deixar pré-elaborados comunicados de acordo com cada público e mensagens-chave (*key messages*), ou seja, discursos predefinidos com o Comitê de Crise.
      b. Elaborar um quadro de quem será responsável por disseminar a informação rapidamente para cada público.
      c. Deixar montado e atualizado o *mailing* para entrar em contato com a imprensa.

d. Lembrar-se de que cada tipo de rede social necessita de mensagens com formatos diferentes, pois elas não são iguais.

e. No caso das redes sociais, as mensagens não podem ter um tom de comunicado. A linguagem é diferente.

E. Colocar em ação o plano de contingência quando se tratar de casos de emergência, no qual precisa tomar atitudes imediatamente.

F. Convocar a imprensa quando necessário.

G. Manter o manual de crise *on-line* alinhado com o *off-line*, caso o tenha – o ideal é ter ambos.

H. Dispor de uma central de atendimento *on-line*, se necessário for, alinhada com o acesso via telefone, com o objetivo de atender aos clientes que tenham tido seus interesses afetados pela crise. É fundamental treinar as pessoas que participarão deste processo, pois elas devem ser pacientes, passar as informações corretamente e ter dinâmica para atender a um público que esteja nervoso ou afetado com o problema.

I. Manter organizados documentos, relatórios anuais, *fact sheets* (documentos publicados em determinado período que descreve as ações da empresa), biografia dos executivos, fotos e vídeos que demonstrem como são realizados os processos internos, entre outros documentos que mostrem que a empresa trabalha de forma regular.

J. Deixar previamente desenvolvido o *layout* de um hotsite,[77] com respostas a serem usadas no momento de crise, bem como organizar mensagens, fotos, documentos, gráficos, vídeos e áudio, que possam entrar no hotsite, que também deve ter informações suficientes para a imprensa sobre o assunto.

---

77 Página, ou pequeno site, criada para apresentar alguma ação de comunicação. Não é fixa e pode ser colocada e retirada facilmente.

E depois de o Manual de Crise estar pronto, não se esqueça de:

1. Rever o manual pelo menos uma vez por ano.
2. Atualizar o manual e testar o plano.
3. Testar o plano com o Comitê de Crise e o porta-voz.
4. Estimar o custo do plano para cada ação.
5. Manter uma lista de fornecedores para o momento de crise, como, por exemplo, um webdesign e programador para colocar rapidamente o hotsite no ar.
6. Por fim, após uma crise, analise o que deu certo ou errado e comece a refazer o manual.

Este guia de como montar seu manual de crise o ajudará na condução dos primeiros passos para a solução do problema. Independentemente de ser uma micro, pequena, média ou grande empresa, deve-se ter isso planejado, pois, como já dito, em momentos difíceis torna-se complicado tomar atitudes certeiras. Também não dá para agir pela intuição, correndo o risco de não tomar a ação correta e, ainda, sob o risco de piorar a situação.

Não tenha medo. Levante suas vulnerabilidades, encare-as de frente, trabalhe na prevenção e desenhe alternativas sobre o que fazer caso aconteça algum problema. Este é um trabalho semelhante a uma apólice de seguro. Detalhe-o minuciosamente, para que nunca precise de fato usá-lo.

Dicas de gestão de crise para evitar danos à imagem da marca ou amenizar os impactos causados

por Regina Barros, gerente de comunicação da ViaQuatro (concessionária da Linha 4-Amarela do metrô), depois de 12 anos em cargo semelhante na AutoBAn

Erros durante uma crise:

- Tentar minimizar.
- Tentar esconder.
- Mentir.

- Passar informações erradas.
- Tentar achar que pode enganar o consumidor com promoções.
- Não entender a dinâmica de uma rede social.
- Demorar em dar respostas.
- Dar sua versão sem provas.
- Os diretores não saberem o que é crise de imagem e deixarem fatos relevantes passar, o que abre espaço de tempo para ganhar repercussão.
- Falta de conhecimento dos gestores, que pode aumentar uma crise.

Dicas para uma boa gestão de crise:

- Seja honesto.
- Esteja de prontidão.
- Esteja preparado para enfrentá-la.
- Resolva, e não busque culpados dentro da organização.
- O gestor de comunicação deve estar antenado e disponível 24 horas, diariamente, pois a crise não tem hora para acontecer.
- Todos os membros da organização devem ser detectores de crise. Para tanto, treine sua equipe. Esta é uma forma de ter agentes trabalhando a seu favor para que as primeiras medidas sejam tomadas.
- Acione os departamentos envolvidos no momento de crise.
- Tenha profissionais habilitados para lidar com crises.
- Escreva e documente as reuniões de crise.

Capítulo 6

UMA CRISE FOI DESENCADEADA. E AGORA?

Sábado de manhã, o telefone toca, e seu chefe, nervoso, grita, perguntando se já está sabendo dos maus comentários que estão na rede sobre o lançamento do produto, que foi desenvolvido durante meses e tinha perspectiva de faturar milhões. O que fazer? Será o fim do produto? Como começar a desatar este nó de maneira que não afete as vendas nem a reputação da empresa? Há outra categoria de gestores que não se preocuparia, e deixaria tudo para resolver na segunda-feira, o que, para uma crise nas redes sociais, pode ser devastador.

Pensamentos do tipo "deixa para depois", "isso não vai dar em nada", "vamos ignorar", "não importa a reação do consumidor e dos demais públicos", "somos líderes de mercado, e isso não nos afetará", etc. são grandes estopins para a crise ganhar repercussão e, talvez, rumos difíceis de contornar.

É muito comum a crise começar por um determinado motivo e, conforme a resposta dada sem estratégia ou a própria falta de resposta da organização, acontecer de ela se alastrar descontroladamente.

Como visto no Capítulo 2, a crise pode ter duas formas: repentina ou evolutiva. Como o próprio nome diz, a crise repentina – por exemplo, a queda de um avião, incêndio em uma fábrica e a enchente que devasta uma cidade – acontece de repente, e medidas imediatas devem ser tomadas para conter os rumores. As evolutivas ganham força gradativamente, ou seja, dão seu primeiro sinal, que é ignorado, e sequer contido, e os fatos vão evoluindo. A falta de uma resposta e de um posicionamento rápido e adequado permite que a crise avance, ganhando muito mais força e se multiplicando para outros públicos. Quando chega crise, a organização pode até perceber que talvez tenha um problema, mas não sabe como contê-lo ou decide ignorar.

Nas redes sociais, a velocidade dos fatos se multiplica e, dependendo do assunto, a consequência pode se dar dentro de uma hora. Outras crises levam horas ou dias para ter um efeito multiplicador. Como dito, tudo depende dos fatos, das pessoas envolvidas, número de afetados, quanto o assunto pode repercutir, interesse comum, se envolve governo, celebridade, etc. Cada caso é um caso, e, na dúvida, aja rápido, porém agindo estrategicamente para não piorar a situação. Lembre-se: agir por impulso pode gerar outra crise, ou mesmo ampliar a que está se desencandeando.

O sucesso do gerenciamento de crise depende diretamente do que foi planejado na fase de gestão, considerando que uma empresa a tenha realizado. Gerenciamento significa o ato de administrar, ou seja, aplicar os processos planejados e definidos pela gestão. Em outras palavras, a gestão planeja, o gerenciamento executa.

A gestão elabora o processo de planos de ação de todas as etapas e, quando uma crise se desencadeia, passa a se chamar gerenciamento de crise – o processo de aplicação dos planos anteriormente traçados. Gerenciamento é um processo de ações práticas que visam conter uma crise que está acontecendo. Mesmo sem um plano previamente definido, as ações empreendidas durante tal processo também são chamadas de gerenciamento, cujo resultado pode ser negativo ou positivo para a imagem da corporação. Entrar em uma crise sem saber o que fazer é como um piloto entrar em um avião sem conhecer a rota a ser tomada. Seu sucesso dependerá somente da sorte.

Existem dois caminhos para o gerenciamento de crise: processo planejado previamente, com medidas preestabelecidas para garantir a continuidade do negócio e evitar arranhões na reputação da marca; e do tipo "salve-se quem puder", ou seja, sem planejamento e sem saber se o negócio sobreviverá no final da história.

Diferente do modo tradicional de gerenciar crises no ambiente *off-line*, lidar com as redes sociais é estar com o satélite ligado 24 horas por dia, diariamente, sem folga, sem descanso nem feriado. Afinal, as redes não param, e muitos negócios também não. Claro que na madrugada o ritmo da discussão e das interações diminui, mas também este período tem sua representatividade.

No que diz respeito às redes sociais, o satélite que detecta o início de uma crise é a ferramenta de monitoramento das redes sociais, em conjunto com um profissional gabaritado para acompanhá-las e identificar o estopim de uma crise. Dependendo do ramo do negócio e da probabilidade de o risco se desencadear, tal rastreamento deve ser intenso e envolver uma equipe competente. O monitoramento do uso de gerenciamento de crise requer atenção, pois há empresas que contratam o serviço por apenas uma hora do dia, porém, os dias têm 24 horas, e as chances de passar um indício de uma crise são grandes.

Alguns sinais podem indicar o início de uma crise nas redes sociais:

- Defeito do produto.
- Produto que não foi entregue.
- Falha no atendimento.
- Uso de matéria-prima que denigre fatores éticos, como as derivadas de animais.
- Falta de ética em relação aos profissionais e fornecedores, como mão de obra infantil.
- Discussão em torno da integridade da marca.
- Falta de resposta da empresa para algum consumidor.
- Cobrança indevida.
- *Recall* de produtos.
- Retirada de produto do mercado sem aviso-prévio.
- Comunicação sem estratégia ou feita por um profissional não qualificado.
- Erros de português.
- Falhas da concorrência, que envolvam a empresa e o ramo de atuação na discussão.

Alguns outros escândalos também podem tornar uma organização o assunto mais comentado nas redes sociais e indicar uma crise de imagem.

- Discriminação em relação a gays, portadores de deficiência, negros, etc.
- Violação de direitos humanos, como trabalho escravo, exploração de menores, etc.
- Questões éticas, como corrupção, pagamento de propina, favorecimento de algum político em troca de favores, compra de informações privilegiadas, sonegação fiscal, fraudes, adulteração de alimentos em busca de lucro, matérias-primas inadequadas, como derivadas de animais, por exemplo, etc.
- Crimes ambientais, como o uso inadequado do meio ambiente para benefício próprio: contaminação do solo, ar, mares e rios, devastação, tratamento inadequado do lixo, etc.

Existe outro tipo de categoria de crise, envolvendo decisões internas da própria empresa, que pode ganhar força nas redes sociais:

- Fusão e aquisições.
- Demissão em massa.
- Greves.
- Pedido de falência.
- Fraudes contábeis.
- Queda das ações na bolsa de valores.
- Construção de uma nova fábrica, que vai afetar determinada região ou grupo.

Os riscos de cada negócio são particulares e variam de empresa para empresa, mesmo que sejam do mesmo setor. Realizar o mapeamento das vulnerabilidades possibilitará entender quando sua organização estará entre os próximos assuntos mais comentados na rede.

Como dito no capítulo anterior, o processo de mapeamento das vulnerabilidades é constante e contínuo.

Quando a crise tem origem pelo fato de o problema afetar uma única pessoa, esta procura as redes sociais para um desabafo, contando sua experiência negativa. Na maioria dos casos, ela busca a rede, em um primeiro momento, para exigir seus direitos, mas também para contar sua história e encontrar outras pessoas que sofreram com situações similares.

A equipe de gerenciamento de crise, por intermédio do sistema de monitoramento, detecta o fato, entende o que está acontecendo e recorre às medidas de contenção estabelecidas, que podem estar previamente planejadas ou não.

O sistema de monitoramento tem a função de contribuir na detecção de uma crise, mas não se pode deixar por conta das ferramentas o alerta de supostos perigos. Neste caso, o fator humano – por meio de um profissional habilitado – realiza o trabalho de análise, pelo qual verifica o teor da crise e quanto pode evoluir. É importante este destaque, porque há muitos relatórios de monitoramento que mencionam somente se a reputação da marca tem sido positiva ou negativa, sem estudar o conteúdo da mensagem e seus reflexos, que podem gerar uma crise evolutiva.

A crise estourou, e já é possível perceber que os rumores podem aumentar. O que fazer? Se o manual foi bem e completamente redigido previamente, aprovado e atualizado, siga os primeiros direcionamentos, pois nem sempre haverá tempo para acionar o comitê de crise. O ideal é tomar as primeiras providências de contenção, e, depois, convocar uma reunião.

Entenda que cada crise é única. Algumas se iniciarão nas redes sociais e ganharão os holofotes da mídia. Mas o inverso também pode acontecer, porque, atualmente, a imprensa noticia um fato de peso e imediatamente ganha repercussão nas redes sociais, que discutem aquele assunto por todo o dia. Interessante notar que muitos jornais têm aberto espaço para publicar os tweets mais relevantes sobre determinado tema, oferecendo um espaço para a opinião pública se manifestar. Este é um dos papéis da imprensa.

A primeira atitude, após responder ao consumidor, dizendo que a empresa está averiguando os fatos e que logo entrará em contato – considerando que seja uma crise isolada, que envolve somente um consumidor –, é entender a crise, como se originou, e procurar o departamento envolvido dentro da organização. O ideal é levantar todos os históricos de reclamação do consumidor e as respostas dadas pelos atendentes. Também é interessante o departamento envolvido na crise analisar se tal reclamação tem sido constante, além de verificar a quantidade de reclamantes e seu perfil. Dependendo do tamanho do negócio, é recomendável designar um colaborador interno para a solução dos casos, pois, conforme a demanda, a equipe de gerenciamento de crise não dará conta de realizar todas as etapas.

Desde o momento em que se inicia uma crise, todas as etapas devem ser relatadas: sua origem e tipo de crise, e demais análises e fatos que se sucederam. Redigir relatórios constantemente é fundamental para se analisar, após a crise, o que deve ser melhorado e contemplado.

Compreendem os processos de gerenciamento de crise:

- Fazer uma rápida análise da mídia e a cobertura *on-line* dos fatos.
- Identificar qual é o tipo de crise, a fim de se adequar a mensagem a ser divulgada, de acordo com o planejamento.
- Entender o tipo de crise antes de dar um posicionamento.

  É de suma importância entender a gravidade da crise e seus reflexos antes de colocar em prática os tópicos a seguir. Muitos rumores desaparecem após a resolução imediata, como, por exemplo, o atendimento a um consumidor insatisfeito.

- Avisar os participantes do Comitê de Crise.

  É fundamental convocar o gestor responsável pela área que deu origem à crise. Por exemplo, se for a área de logística, não há necessidade de convocar a pessoa responsável por tecnologia.

- Ao entender a crise, tomar atitudes para cessá-la, como, por exemplo, retirar o produto do mercado, realizar *recall*, etc.

- Notificar os públicos de interesse, tais como clientes, investidores, acionistas, público interno, comunidades, órgãos do governo, grupos financeiros, como bancos, fornecedores, distribuidores, imprensa, entre outros.

Alguns públicos devem ser notificados por telefone e outros, por meio de comunicado.

Os contatos devem estar atualizados para que, nos momentos de crise, não haja dificuldade de comunicação.

Cuidado com a análise da crise, pois, dependendo de sua repercussão, não haverá necessidade desta notificação; porém, não ignore esses públicos. É importante a equipe de gestão de crise saber o momento certo para se comunicar com os *stakeholders*. Por exemplo, um acionista não vai gostar de ser informado constantemente sobre crises pequenas e de pouca relevância. É do seu interesse somente aquelas com maior repercussão, que possam impactar seus investimentos.

- Colocar informações sobre a empresa à disposição do governo, órgãos oficiais, polícia, etc.

  Lembre-se: cada caso é um caso. Adulteração de alimento, por exemplo, envolve polícia, Anvisa, entre outros órgãos. Por isso, faz-se necessário se colocar à disposição dessas instituições, contribuindo com as investigações.

- No caso de crises no ambiente externo derivadas de acidentes, tomar medidas de emergência, como chamar o corpo de bombeiros, ambulância, polícia, defesa civil, etc.

  Alguns processos de gerenciamento de crise off-line *devem ser repensados para não afetar a imagem da organização. Além disso, é fundamental assegurar a integridade física dos envolvidos.*

- Otimizar a engenharia de busca do website.

  Em uma crise, cresce o número de visitantes do site da organização, que querem saber como ela trabalha, como os fatos se sucederam, etc. Nesses casos, relatar os fatos transmite transparência, o que garante conquistar a confiança do público.

- Dar *feedback* pela internet.

  Quando a crise se inicia no ambiente on-line, *é importante dar respostas efetivas para o público da Web, com linguagens apropriadas ao mundo virtual.*

- Ativar uma efetiva comunicação *on-line.*

  Manter comunicação com os stakeholders, *transmitindo mensagens acerca dos acontecimentos. Explique os fatos, como aconteceram, como a empresa os enxerga e as medidas que estão sendo tomadas.*

- Dar atenção especial à comunicação com o público interno, para que todos saibam o que está acontecendo, envolvendo-os na operação para que o negócio não pare, além de evitar que vazem informações não oficiais sobre o caso.

  Comunicar-se com o público interno é uma demonstração de respeito com os colaboradores, que devem atuar como parceiros no momento de crise. Com as informações transmitidas adequadamente, evita-se que os colaboradores transmitam dados não fiéis a outros públicos.

- Usar a Web para fornecer informações importantes para o consumidor.

  Coloque um hotsite ligado ao site da empresa, pois, assim, concentra-se um espaço único dedicado a informações referentes à crise. Além disso, um espaço reservado para aquele assunto permite que as demais informações on-line *da empresa não sejam misturadas.*

- Combinar o gerenciamento de crise tradicional com a imprensa e o método *on-line*, ou seja, desenvolver *releases* e enviá-los para o *mailing* pré-selecionado.
- Enviar informações *on-line* para a imprensa, com fotos, vídeos e demais documentos para que os jornalistas elaborem suas reportagens.
- Desenvolver mensagens adequadas aos formadores de opinião presentes na Web.

Importante já ter, previamente, este mailing *para que rápidas mensagens sejam direcionadas.*

- Implementar uma ferramenta de chat, para esclarecimento de dúvidas, com atendentes capacitados e treinados previamente.

  Em alguns casos, mesclar o atendimento telefônico convencional com os chats. Também é necessário ter um profissional para o atendimento dos e-mails.

- Estabelecer uma comunicação entre o presidente da empresa e os *stakeholders* usando sua rede social pessoal.

  No momento de crise, o presidente fala como pessoa, e não como um login generalizado. O importante é a humanização, e o diretor falando em nome da empresa transmite confiabilidade.

- De seis a oito horas do início da crise, é preciso convocar a imprensa, dependendo da evolução do caso. Se for necessário convocar uma coletiva de imprensa, é possível fazê-la *on-line.*

  Com as novas tecnologias, também é possível fazer uma transmissão ao vivo, via internet, para outros stakeholders. *Além de otimizar custo, o tempo para organizar uma coletiva* on-line *é muito menor; Mas, antes, é preciso se certificar da necessidade de fazê-la presencialmente. No* mailing *da coletiva* on-line, *não se esquecer de convocar os blogueiros, pois eles são grandes disseminadores de informação.*

- A internet tem alcance mundial. Dependendo do porte da empresa, é necessário ter a versão em inglês do site.

  Em caso de empresa multinacional, convém avisar as demais filiais de suas ações, alinhando o modo como todos devem proceder caso haja questionamentos.

- Dependendo da intensidade e repercussão da crise, pode ser necessário retirar as propagandas *on-line* do ar. Por exemplo, se uma montadora de carro foi acusada de ter culpa em um acidente com uma família por conta de falha técnica, não se deve manter a propaganda do veículo, pois passará a impressão de que a empresa somente quer vender seus produtos, e não pensa em solucionar o problema.

- Por meio do monitoramento das redes sociais e uma pesquisa de opinião pública, feita pela própria Web, verificar a evolução da crise, ou se o debate da opinião pública está diminuindo. Se a crise ganhou os holofotes da mídia ou se *off* e *on-line* estão atrelados, analisar os *clippings* das matérias que saíram e fazer uma auditoria de imagem.
- O processo de gerenciamento de crise *on-line* não deve deixar que as respostas demorem mais de três horas para ser postadas. O ideal é colocar algum post dentro da primeira hora. Ao fazer isto, além de não deixar a crise ganhar mais força, transmite-se credibilidade ao consumidor, indicando preocupação com o caso, a disposição em resolvê-lo, e que o cliente é seu maior patrimônio.

Perceba que muitas dessas ações citadas devem ser planejadas previamente. Como dito, o sucesso do gerenciamento depende diretamente da gestão. Durante uma crise, fica difícil colocar rapidamente um hotsite no ar, assim como realizar uma coletiva de imprensa *on-line*. O que será colocado no hotsite? Quais as informações relevantes? O custo foi contemplado? A empresa tem um fornecedor que o produza rapidamente? Sabe quem realiza coletiva *on-line* no mercado? Qual porta-voz deve se pronunciar para as redes sociais? Perceba que muitos detalhes devem ser pensados com antecedência. Além disso, tais ações precisam ser simuladas e avaliadas.

Comportamentos e atitudes adequados para o gerenciamento de crise na internet

Existem muitos comportamentos corporativos que devem ser adotados quando o assunto é crise. Tais atitudes e pensamentos não devem vir somente dos gestores, mas estar dentro da filosofia das organizações, pois, do contrário, o sucesso na solução da crise não será satisfatório.

Lembre-se de que uma crise é um momento delicado, e não basta somente seguir o manual para obter sucesso e resolver facilmente todos os problemas. O processo de gestão e gerenciamento de crise (tanto *on* quanto *off-line*) não é uma ciência exata, e, portanto, não é o bastante seguir a fórmula para que se chegue ao sucesso efetivo. Ele exige que o gestor tenha sensibilidade e psicologia adequada. Em muitas organizações, um psicólogo é contratado para que ajude este gestor a se preparar e manter a calma para tomar atitudes apropriadas e cautelosas com vistas à solução.

Diante de uma crise, o gestor:

- Independentemente de estar certo ou errado, quando a organização se vê envolvida em um problema, faça a sua parte e se envolva na busca da solução. Afinal, a marca está exposta.
- Não negue nem confirme fatos até ter certeza de que realmente não têm a ver com a crise. Somente declare que está disposto a ajudar.
- Não minta.
- Explique o que aconteceu.
- Cuidado com boatos. Quaisquer novos rumores devem ser apurados.
- Na internet, também é necessário ser transparente e honesto.
- Não culpe os outros ou transfira o problema. Esclareça os fatos.
- Não afirme: "Não tenho nada a ver com isso".
- Não se desespere e comece a dar declarações para se defender, sem antes pensar estrategicamente no assunto.
- Nas mensagens divulgadas na internet, não use palavras formais, elas não devem ter o tom de um comunicado.
- Seja coerente nas explicações dos fatos, pois, caso esteja mentindo, o Google pode desmascarar a organização.
- Esteja de prontidão à medida que novas informações surgirem. Atualize os diferentes meios de comunicação *on-line*. Lembre-se

de que mensagens diferentes devem ser direcionadas para diferentes categorias de público.

- Caso não tenha novas informações, não deixe de atualizar as redes sociais para não dar a impressão de "sumiço". Mantenha a comunicação.
- Mesmo que os fatos não estejam comprovados, é necessário avisar, por exemplo, que: a empresa está envolvida em uma investigação, ou sendo acusada por determinado motivo; está disposta a ajudar a esclarecer os fatos; está retirando produtos do mercado para garantir a saúde da população; etc.
- Disponibilize profissionais especializados para dar a versão técnica do caso.

Em uma crise, quando não se tem fonte adequada para falar do caso, surgem pessoas para dar a própria versão. Se necessário, marque um bate-papo *on-line* para o esclarecimento de dúvidas.

- Um profissional especialista no assunto também pode explicar o que deve ser feito se o consumidor sentir algo errado, as medidas a serem tomadas, etc.
- Para manter um bom relacionamento com a imprensa e os formadores de opinião da Web, é importante abrir a empresa para explicar, de forma transparente, como é o processo produtivo, etc.

Posicionamento dos gestores

- Mantenha a calma em todas as etapas do processo.

  Em casos de acidente envolvendo vítimas, é importante dispor de um psicólogo para acompanhar os tomadores de decisão ou integrantes da equipe de gerenciamento de crise.

- Envolva-se com o problema e esteja disposto a resolvê-lo a qualquer custo, usando as estratégias certas.
- Assuma falar a verdade. Mentir pode agravar a crise, pois, se descoberto, o dano será ainda maior.
- Nas mensagens transmitidas, passe confiança e credibilidade.
- Não dê ouvidos aos boatos, pense somente em resolver o problema.
- Esteja de prontidão.
- Não pense em custos, visualize a solução do caso.
- Não pense que uma crise faz parte de uma onda de azar e que você é a bola da vez. É muito comum o diretor ou proprietário da organização se sentir injustiçado, perseguido, vítima da concorrência e de pessoas que não gostam da empresa. Lembre-se de que todos os negócios possuem riscos, e sua organização não é uma exceção.
- Não desabafe ou faça comentários sobre a crise, nem sobre seu trabalho ou a correria que está vivendo nas redes sociais. Se for usá-las, saiba o que falar. Também não comente com seus amigos a tarefa árdua que está enfrentando. Sempre há alguém acompanhando você.
- Mesmo sendo as redes sociais um campo livre, não dê sua opinião sobre a crise que sua empresa está vivendo, a não ser que seja autorizado pela organização.
- Se seus amigos perguntarem sobre a crise nas redes sociais, saiba o que responder. Se for o caso, pergunte ao comitê de crise sobre o melhor posicionamento.

  Mensagens postadas em redes sociais pessoais podem ser um estopim para agravar a crise.

Essas sugestões ajudam os gestores a posicionar-se diante de uma crise. Repetindo: não existe uma fórmula exata, tais sugestões são apenas orientadoras do rumo a ser seguido.

Quando a crise chega ao fim?

Perceber o momento em que a crise chegou ao fim é um dos maiores desafios para o gestor de comunicação, porque se deve tomar cuidado com fatos novos que venham a alavancá-la novamente. Na internet, este desafio é ainda maior, pois há os buscadores que contribuem para manter a informação fresca e em dia para o público reviver a história.

Quando se trata de um problema com o produto, novas queixas permitem acender as reclamações já resolvidas.

A solução da crise dependerá do processo de gerenciamento, mas levará semanas, ou até mesmo meses, para o gestor ter certeza de que a poeira da crise baixou. O trabalho ainda não acabou, mesmo não sendo o assunto principal das redes sociais. O que precisa ser feito é conquistar novamente a reputação *on-line* e trazer o público de volta para seu time. Este será um trabalho árduo, mas não impossível.

CAPITULO 7

PÓS-CRISE: CONQUISTE A SUA REPUTAÇÃO

A crise acabou. Não respire aliviado. Será que acabou mesmo? Tenha cuidado ao declarar o fim da crise, pois ela não vai embora na mesma velocidade com que chega. Também não coloca um ponto final na história rapidamente, como um fim de novela. Pode ser desesperador para quem realmente está envolvido e vivendo a crise, mas o melhor caminho é entender seu percurso e ter calma para tomar atitudes. Após vivenciar um momento complicado (um acidente, uma crítica de consumidor, ou qualquer outro problema que denegriu a imagem), ser bombardeado por um turbilhão de críticas e ter o negócio ameaçado, o melhor caminho é agir com estratégia. O susto já passou, e, agora, basta ter um olhar satélite para que a crise não retorne, além de analisar e traçar trajetórias para a recuperação do seu maior bem: a marca.

Trabalhar com estratégia é como um jogo de xadrez, no qual você precisa entender a situação, o lado oposto, o posicionamento dos envolvidos, para depois tomar decisões de que pedras mover. Paciência, inteligência e ações certeiras são palavras-chave para conquistar o relacionamento com o público. De qualquer maneira, é bom estar ciente: requer tempo, semanas ou meses, dependendo da exposição da marca ao problema. Em alguns casos, mais de um ano. Independentemente do grau da crise, já tenha em mente que levará algum tempo para a recuperação da imagem e alcançar a certeza de que ninguém mais falará sobre o assunto.

Isso vale tanto para as crises *off* quanto *on-line*. Mesmo depois de a crise da Brastemp com o consumidor Oswaldo Borelli já ter sido solucionada, ainda há pessoas que escrevem para ele no Twitter parabenizando sua ação, ou solicitando entrevistas. Este é um exemplo de que a crise não findou 100%, pois ainda há exposição da marca. Em outubro de 2011, nove meses após o acontecimento, o programa *Fantástico*, da Rede Globo, fez uma matéria sobre SAC 2.0, e lá estava o Borelli como personagem da matéria. Por conta disso, as redes sociais novamente discutiram a polêmica.

Nas redes sociais, o assunto pode permanecer vivo por meses, e, em um momento qualquer, alguém relembrar o caso para pedir esclarecimento à empresa, ou até mesmo para ser assunto de piadas. Seja em que circunstância for, o nome da organização está envolvido.

Também é comum relembrar o caso quando outra crise similar acontece, pois retoma-se a discussão na esfera pública. Os fatos são expostos na imprensa, e as redes sociais abrem um novo debate em torno do assunto. E sua marca? Novamente está exposta. Se o caso não estiver resolvido, ou a empresa continuar repetindo o erro, pode ter certeza de que a opinião pública cobrará quanto aquela organização fez para resolver o caso, as medidas tomadas pelo Ministério Público, etc. A poeira levantará, e mais discussões virão.

Se a crise for retomada muito tempo depois, mas a organização teve e aproveitou o tempo e a chance de esclarecer os fatos, assim reconquistando sua reputação, pode obter resultados positivos. Por conta disso, o trabalho pós-crise se torna fundamental para resolver o caso e reconquistar os créditos perdidos na reputação.

Finalizar uma crise na internet é um desafio, pois o Google e outros buscadores fazem relembrar o caso, o que é um fator que ninguém consegue controlar. Basta digitar o nome da empresa, e, dependendo da relevância, lá está o caso estampado na tela. Ou apenas digitar a referência de algum problema que esteja indiretamente ligado à organização, a crise revive. Exemplo é a crise do leite que ocorreu em 2007, quando a empresa Parmalat foi acusada de adulterar o produto usando soda cáustica. Esta crise se prolongou na imprensa, intensamente, durante três meses, pela falta de esclarecimento da organização e de outros atores envolvidos (as cooperativas). Ao digitar no buscador "adulteração de leite", aparece a descrição do caso, destacando principalmente a empresa Parmalat, marca mais forte envolvida no escândalo.

O mesmo acontece com a Arezzo. Ao colocar seu nome no Google, a crise envolvendo as peles de animais, que foi assunto no Twitter, aparece em quarto lugar. Primeiro, informações da loja; em seguida, sobre a cidade italiana Arezzo, e, logo depois, várias notícias envolvendo a crise. Perceba que quem busca informações da coleção da marca ou onde encontrar a loja mais próxima reviverá a história e estará novamente em contato com a crise. Assim também para o caso Zara, que aparece na primeira página, com matérias e vídeos sobre a exploração de funcionários em oficinas terceirizadas.

Pesquisas e análises de consultores de marketing revelaram que as vendas de ambas as empresas não foram afetadas após tais crises, porém, é sabido que a imagem foi atingida, e que alguns potenciais futuros consumidores podem ter perdido a atração pelo produto. A leitura é nítida quando se analisa a repercussão da crise nas redes sociais.

Importante também compreender que o Google apresenta critério de relevância de conteúdo, ou seja, assuntos mais clicados e procurados aparecem em primeiro lugar. Isto independente de links patrocinados ou campanha de adwords. Ou seja, importante destacar que o gestor de comunicação não consegue controlar, pagar ou reclamar para mudar esta situação.

Por conta desses fatores, entre outros, é que as crises na internet se tornam mais devastadoras e requerem um trabalho mais apurado no pós-crise.

Análise da crise

No momento em que uma crise vai perdendo seu impacto e a força, é importante uma análise para se mensurar os danos. Dependendo da crise, seu impacto, o número de pessoas afetadas, reflexo na mídia e o número de posts referentes à marca, o caminho é mais ou menos abrangente e complexo. Envolve muito mais do que uma análise de monitoramento das redes sociais, sobre o que falaremos logo a seguir. Esta avaliação dependerá do *feeling* do gestor quando for fazer esta análise.

O que muitas empresas calculam é quanto a marca foi afetada em relação às vendas, porque o que vale, principalmente para seus gestores, é o fator financeiro. Sem dúvida, este é um grande mensurador, porém, é necessário calcular quanto a marca foi afetada no âmbito intangível, ou seja, sua reputação. Entender o que o consumidor está pensando sobre a marca e a organização é uma atitude sábia.

Pesquisa quantitativa de mercado é uma ferramenta que ajudará muito nesse momento. Compreender quanto a crise afetou a boa imagem até então construída, quantas pessoas deixariam de comprar o produto, se voltariam a comprar após a estabilidade da organização, se mantêm a mesma confiança de antes, entre outras questões, que devem ser avaliados caso a caso. É necessário ser estratégico, e não pensar somente no reflexo nas vendas. Uma marca vende, subliminarmente, uma ideologia, confiança e outros atributos. Tenha em mãos e já orçado no seu plano de gestão de crise empresas especializadas em pesquisas, pois estas saberão rapidamente como ajudar com respostas concretas sobre a posição do seu público. Dependendo do resultado, a pesquisa qualitativa pode ser necessária, pois possibilitará melhor entender o pensamento de um grupo de consumidores ou até mesmo de formadores de opinião.

Monitoramento das redes sociais

Como dito em capítulos anteriores, a monitoração da marca, realizada por ferramentas que têm um mecanismo de busca do que está sendo dito sobre a sua organização, é uma tarefa que deve estar em todas as etapas do processo de gestão e gerenciamento de crise nas redes sociais. Entretanto, é importante perceber que em cada etapa o monitoramento tem uma função diferente.

Recapitulando

Na fase de gestão de crise (momento de planejamento, no qual a crise não aconteceu), o monitoramento tem a função de detectar e analisar como sua marca está sendo vista pelos seus *stakeholders*, o que eles estão falando e o que pode ser um precursor de crise. A partir daí, realiza-se uma avaliação para iniciar o planejamento de comunicação e identificar quais riscos podem ser prevenidos.

Na fase do gerenciamento, o monitoramento serve como um satélite que detecta o sinal vermelho de uma possível crise que está se iniciando, ou que, de fato, já se iniciou. Também nesta fase a ferramenta tem a função de indicar a evolução da crise e o movimento da opinião pública, assim como detectar se a crise está ganhando novos rumos e evoluindo, ou perdendo força em relação ao público.

No pós-crise, o monitoramento tem de ter um olhar mais amadurecido, além de mapear e ficar atento se a crise pode retornar ou não. Nessa fase, a ferramenta contribui, levantando dados relevantes (posts, tweets, mensagens no Facebook, Orkut ou em outras redes sociais) para a realização de análises retórica ou de conteúdo.

As avaliações serão uma grande mina de ouro para entender qual caminho a marca deve seguir em relação à sua comunicação, e quais argumentos e posicionamentos adequados apresentar ao seu público. Somente a partir destas etapas é que o gestor terá respaldo adequado para tomar decisões corretas e colocar a marca na trilha certa, e, assim, retomar sua estratégia de reconquista da reputação.

Análise de conteúdo

Durante a análise de uma crise, gosto muito de trabalhar com as metodologias de análise de conteúdo, que são importantes durante e após a crise. No caso de um estudo envolvendo a construção discursiva de uma crise e o posicionamento dos atores envolvidos, este método torna-se de extrema importância por permitir não só uma análise aprofundada das mensagens, mas também por possibilitar a verificação de como os fatos foram sendo redimensionados e reelaborados por meio daquele debate, em geral produzindo novos posicionamentos e desdobramentos.

Laurence Bardin define análise de conteúdo como "uma técnica de investigação que tem por finalidade a descrição objetiva, sistemática e quantitativa do conteúdo manifesto da comunicação",[78] acrescentando que deriva da combinação de três processos principais: descrição, interpretação e inferência.[79] Além disso, esta análise preocupa-se com a configuração de indicadores (quantitativos ou não) que permitam a inferência de conhecimentos relativos às condições de produção/recepção das mensagens. Preocupa-se ainda, e principalmente, em desenvolver procedimentos de estudo das comunicações entre os indivíduos, enfatizando o conteúdo das mensagens e os aspectos quantitativos do método.

Bardin divide a análise de conteúdo em três fases: pré-análise, exploração do material e tratamento dos resultados (interpretação e inferência). A primeira inclui escolha dos documentos a serem submetidos à análise, formulação das hipóteses e dos objetivos, e elaboração dos indicadores que fundamentarão a interpretação final.

Interessante avaliar, pelos argumentos fornecidos pelos próprios atores envolvidos na crise, como ela se desenhou no espaço da mídia ou das redes sociais, iniciando um processo de debate e de formação da opinião pública.

Como mencionado, a mídia (inclusive as redes sociais) é um espaço de exposição, justificação e até mesmo revisão de argumentos por parte dos atores envolvidos. Em um processo de debate, muitos argumentos são elaborados tendo em vista a necessidade de responder a um posicionamento adotado por outro ator. A opinião pública, como explicado no Capítulo 1, se abastece do debate e da troca de argumentos na esfera pública, que por sua vez tem visibilidade no palco da mídia. A opinião pública é responsável por exigir posicionamentos dos responsáveis e demais envolvidos. Em uma situação de crise, nota-se, na esfera pública, que um fato pode começar com pouca repercussão, mas, à medida que

78 BARDIN, *Análise de conteúdo*, p. 38.

79 Se a descrição (a enumeração das características do texto, resumida após tratamento) é a primeira etapa necessária e se a interpretação (a significação concedida a estas características) é a última fase, a inferência é o procedimento intermédio, que vem permitir a passagem, explícita e controlada, de uma a outra (Idem, p.41).

argumentos vão sendo expostos, a crise vai sendo definida e redefinida, adquirindo proporções imensas. Também depende muito dos discursos e argumentos apresentados ao longo do processo desta troca. Por outro lado, uma crise também pode se iniciar com um grande impacto e logo desaparecer.

A análise de conteúdo pode ser complexa, mas disponibiliza parâmetros sobre os posicionamentos dos envolvidos na crise. Se usada estrategicamente, é possível que, durante a crise, a organização dê posicionamentos corretos e adequados, a partir da voz do outro, à medida que os fatos vão acontecendo. Após a crise, este método permite adotar mensagens adequadas ao público de acordo com os impactos gerados. Com esta análise, o discurso pós-crise é feito objetivando reaver créditos perdidos da reputação, assim permitindo criar ações estratégicas de comunicação mais incisivas.

Análise retórica

Esta é outra metodologia valiosa em comunicação, pois verifica se os atos e comportamentos estão condizentes com o discurso. Há muitas organizações que afirmam que sua marca faz isso e aquilo, mas, na realidade, não isso passa do papel, ou seja, o discurso não está de acordo com a prática.

A retórica das organizações é composta por um conjunto de ações de comunicação capaz de legitimá-las. Para entender melhor, Halliday explica que os atos retóricos são "objetivos e missão, memorandos, mensagens de propaganda, relatórios, comunicados a mídia, entrevista de porta-vozes, videoclipes, sites, apresentações em PowerPoint, documentários, notas de esclarecimento... e outros símbolos".[80] Os posicionamentos das organizações em momentos de crise também fazem parte de seus atos retóricos, pelos quais são validadas e legitimadas as ações das organizações.[81]

80 HALLIDAY, "Discurso organizacional: uma abordagem retórica", p. 32.

81 Em momentos de crise, reconhece o erro, busca repará-lo, demonstra firmeza e confiabilidade, transcende a situação, realinhando-se com altos princípios e nobres metas. Passada a crise, retoma suas estratégias de manutenção de legitimidade, entre as quais a ação retórica, sempre presente. (Halliday, "Discurso organizacional: uma abordagem retórica", p. 48).

Um exemplo: uma empresa, em sua filosofia, afirma que seus produtos e processos produtivos são sustentáveis, porém, por trás dos holofotes, não organiza seu lixo tóxico, contamina o solo, não controla nutrientes tóxicos, explora funcionários, sonega impostos... Você perceberá que há muitas organizações assim, fazendo-nos concluir que o discurso não condiz com a prática, o que pode eclodir ou piorar uma crise. Em momentos difíceis, também há empresas que prometem mudar seu sistema produtivo e, depois do final da crise, nada acontece.

O gestor de crise tem a função de checar e apontar os processos adequados para não agravá-la. A análise retórica também neste caso é um método que deve ser usado durante e após uma crise, demonstrando se tais argumentos comunicados aos públicos estão de acordo ou não com a realidade.

O pós-crise é uma reflexão crítica, quando se avalia os pontos a serem melhorados em uma organização, por isso, trata-se de uma etapa tão ou mais trabalhosa que o processo de gerenciamento.

Análise de crise nas redes sociais

Entendendo a análise de conteúdo e retórica, a equipe de gestão de crise tem uma tarefa árdua: o estudo das mensagens oriundas do monitoramento das redes sociais. Repetindo, as ferramentas de monitoramento das redes sociais não servem apenas para dimensionar se a reputação da marca está positiva ou negativa.

Neste caso, o fator humano – por trás das ferramentas – indica o efeito da crise no consumidor, como também aponta o conteúdo das mensagens e os reflexos para a imagem da marca. O analista das mensagens deve adotar uma postura crítica, sem indicar se o autor do post foi coerente ou não, ou se seu posicionamento é correto ou não. Neste caso, o profissional deve ter uma leitura sob o ponto de vista do público, que pode ter sido afetado ou não.

Cada um tem uma metodologia de trabalho, porém, elaborar um quadro apontando os efeitos positivos e negativos e seus impactos ajuda a ter maior visão. No meu trabalho de mestrado, elaborei um quadro de argumentos e contra-argumentos postados pelos consumidores, e analisei a imagem passada para o público em cada posicionamento dado.

A sugestão é realizar esse trabalho também com os posts publicados pela organização. Se a crise começou no meio externo e teve impacto nas redes sociais, também vale a pena realizar a análise de conteúdo a partir da mídia, ou, pelos menos, dos principais veículos de comunicação que impactam as redes sociais.

A imprensa é um canal que abastece a opinião pública com fatos, aos quais o público, geralmente, não tem acesso. Tais notícias são fontes de debate nas redes sociais, o que pode agravar uma crise, dependendo dos fatos apresentados.

Cada crise é única, e tais análises podem ser longas, durando semanas ou meses.

Relatório de crise

Depois da leitura das análises, é o momento de elaborar o relatório, que servirá como um documento para tomadas de decisões imediatas, e um registro oficial para possíveis futuras crises. É importante ser minucioso e descrever detalhes, mesmo que insignificantes.

Este relatório deve contar uma grande história, que contemplará:

- Como se iniciou a crise.
- Fatores que levaram à crise.
- Os primeiros posts relacionados ao assunto.
- Primeiros posicionamentos da organização.
- O tempo que levou para a empresa dar uma resposta a partir do momento que a crise teve início.
- As atitudes tomadas pela empresa.
- Como a empresa (diretores, acionistas e público interno) se comportou diante da crise.
- Reação do público interno.
- Como as informações foram passadas entre os envolvidos.
- Rumores que surgiram no meio do caminho.
- Reações do serviço de atendimento ao consumidor.
- Pontos positivos da organização diante da crise.

- Soluções que deram certo, ou não.
- Improvisos assumidos e suas consequências.
- Outros detalhes relevantes no período da crise que precisem ser registrados.

Comunicação pós-crise

Após a análise profunda dos reflexos da crise, o planejamento de comunicação entra em prática para estabelecer a relação com os públicos, esclarecer mal-entendidos, explicar quem é a empresa, suas ações presentes e futuras, etc. Neste planejamento, avalie a necessidade de aliar a comunicação *off-line* com a digital. Na maioria dos casos, ambas são necessárias, e devem estar alinhadas para evitar que apresentem discursos e posicionamentos diferentes.

Como cada rede social tem sua peculiaridade, o plano deve contemplar suas características. Por exemplo, o Facebook tem a função de aproximação e contato direto com o "amigo", enquanto o Twitter é mais neutro em termos de relações pessoais mais próximas, destacando-se assim pela possibilidade de repercutir assuntos, trocar argumentos e expor novos fatos. Também é preciso levar em consideração que a comunicação nas redes sociais deve ser feita de acordo com cada público. Por exemplo, se a organização tem uma comunidade para o público interno, a comunicação deve ser feita neste espaço, pois as mensagens para o público final é diferente daquela para os colaboradores, que serve para a rede de revendedores, fornecedores, comunidade, etc. Cada comunicação deve estar alinhada e direcionada ao público ao qual se destina, a fim de garantir sua efetividade e resultado para o emissor.

No processo de gerenciamento de crise nas redes sociais, e também no pós-crise, a transparência e a sensibilidade com o caso influenciam na relação com o público. Após a crise perder forças, agradeça aos *stakeholders* que estiveram ao lado empresa no momento difícil. À medida que for surgindo novas dúvidas sobre a crise, o gestor não deve ter receio, e imediatamente responder, e o que não souber, dispor-se a buscar a resposta. Calar-se diante de um problema abre a possibilidade de que novas informações errôneas surjam, muitas vezes, em razão do tempo, impossíveis de conter. Mesmo no processo pós-crise é importante agir com prontidão e rapidez para dar as respostas.

Dentro do plano de comunicação, o website é o canal cuja função é ser a fonte primária da organização, que leva os fatos de dentro e para fora, expondo as informações oficiais diretamente ao público. Após a crise, reveja como as informações estão distribuídas no site, se são esclarecedoras ao público, se os links estão sendo direcionados para as páginas certas, se há atualizações constantes e um profissional habilitado para abastecer as notícias, etc.

O espaço virtual, por ser abrangente e infinito, permite ser explorado com mais efetividade. Desta forma, não economize esforços em direcionar as comunicações para cada tipo de público.

CONSIDERAÇÕES FINAIS

Este livro teve como objetivo demonstrar o poder das redes sociais e quanto as crises são devastadoras na sociedade da informação em que vivemos. Empresas que pensam estrategicamente devem reconhecer que sua organização tem riscos (todos os negócios os têm), saber como preveni-los e, quando uma crise acontecer, o que fazer.

Ao longo deste livro, trouxemos a abordagem de como se forma a opinião pública, a diferença entre riscos e crise, e o porquê de se preocupar com a imagem e a reputação das organizações e como construí-las. Importante também entender como nascem as crises nas redes sociais e na mídia. Afinal, aquelas nas redes sociais podem surgir do próprio espaço *on-line* e ter repercussão no *off-line*, o que também vale para o sentido inverso.

Nas minhas pesquisas para o mestrado, pude estudar e aprofundar como as empresas devem tratar a gestão e o gerenciamento de crises nas redes, um assunto extremamente novo tanto para as organizações como para o mundo acadêmico em geral. Como pesquisadora, reconheço que há muito para estudar; afinal, surgem novas mídias de tempos em tempos, o público se renova, e seus comportamentos também, o que influi diretamente em como se deve proceder diante das crises.

Os *cases* apresentados, cuja repercussão se deu em 2011, servem como lição para outras organizações, pois, a partir dos erros e acertos dos outros, elas podem olhar seu próprio umbigo e verificar que também estão sujeitas a tais situações. A solução é agir antecipadamente, com estratégia, prevenção e comunicação adequada.

De forma resumida, apresento aqui um roteiro de gestão e gerenciamento de crise nas redes sociais desenvolvido a partir das minhas pesquisas, que espero possa contribuir para esses processos nas organizações.

Etapa 1 – Gestão de Crise

Issue Management

- Analisar o tamanho da organização.
- Analisar a cultura da companhia no ambiente virtual.
- A área de comunicação deve estar alinhada à internet e ter conhecimento do assunto.
- Analisar e criar um plano para o website da empresa.
- Implantar uma comunicação *on-line*. O site deve ser atualizado constantemente, assim como o banco de dados e as listas de *e-mail*.
- Levantar as vulnerabilidades que podem afetar o negócio no mundo virtual. Enxergar as ameaças em âmbito global.
- Checar as vulnerabilidades que podem surgir no mundo *off-line* e ter repercussão no *on-line*.
- Implantar um monitoramento *on-line* constante da marca.
- Criar um sistema de alerta.
- Registrar todas as possibilidades de posts negativos em sites, blogs, no Twitter e demais redes sociais que possam se referir à sua empresa.
- Identificar *stakeholders* que estejam no ambiente virtual.
- Mapear influenciadores e líderes de opinião no mundo virtual.
- Desenvolver um plano de comunicação *on-line*.
- Pesquisar o tom e a linguagem da mensagem que deve ser passada ao seu público, sempre se lembrando de que o estilo de comunicação implantado no *off-line* é diferente do *on-line*.
- Familiarizar a equipe de comunicação corporativa com o ambiente virtual, e promover treinamentos constantes.

Prevenção

- Ao levantar as vulnerabilidades da empresa, veja quais ameaças podem ser prevenidas para que não se tornem uma crise.
- Envolver os departamentos da empresa para que riscos sejam constantemente monitorados, a fim de que medidas sejam tomadas e problemas evitados. Neste estágio, é importante envolver o comitê de crise, comunicando-lhe novas ameaças.

Planejamento

- Criar ações virtuais, desenvolver o blog e cadastrar-se nas redes sociais.
- Com os *stakeholders* mapeados, estabelecer com eles uma comunicação *on-line*.
- Identificar influenciadores na internet, que são diferentes dos formadores de opinião.
- Estabelecer também uma comunicação com líderes virtuais e formadores de opinião.
- Criar um comitê de crise que conheça a dinâmica das redes sociais.
    - Se a empresa tem o comitê de crise para o mundo *off-line*, seus membros devem ter conhecimento das redes sociais e seus impactos. Este processo é importante, porque, no momento da crise, ações devem ser tomadas com mais rapidez, e o tempo de resposta ao público deve ser o mais curto possível.
    - Fazer um treinamento com os diretores da empresa, explicando o que são as redes sociais, seus impactos e poder de influência.
    - Desenvolver um manual de crise *on-line*, que pode ficar na rede ou intranet da empresa, de tal maneira que novas vulnerabilidades sejam identificadas e logo incluídas no plano com facilidade.
- Desenhar mensagens e respostas de acordo com cada rumor.

    - No caso das redes sociais, as mensagens não podem ter tom de comunicado, pois sua linguagem é diferente.
- Desenvolver um hotsite com respostas para serem usadas no momento de crise.
    - Organizar mensagens, fotos, documentos, gráficos, vídeos, áudio, que possivelmente possam entrar no hotsite.
- Também no hotsite, é importante ter informações para a imprensa sobre o assunto em foco.
- Manter o monitoramento constante da marca no mundo virtual.
- Criar um treinamento de simulação de crise.

Etapa 2 – Gerenciamento da crise (durante)

- Fazer rapidamente uma análise da mídia e da cobertura *on-line* dos fatos.
- Identificar qual é o tipo de crise, para que se poste a mensagem adequada de acordo com o planejamento. Entenda o tipo de crise antes de dar um posicionamento.
- Avisar os participantes do comitê de crise.
- Otimizar a engenharia de busca do website.
- Dar *feedbacks* pela internet.
- Ativar uma comunicação efetiva *on-line*.
- Manter uma comunicação com o público, transmitindo mensagens acerca dos acontecimentos.
- Desenvolver mensagens adequadas aos formadores de opinião.
- Implementar uma ferramenta de chat para esclarecimento de dúvidas, com atendentes capacitados e treinados previamente.
- Usar a Web para fornecer informações importantes ao consumidor.
- Estabelecer uma comunicação entre o presidente da empresa e os *stakeholders* usando sua rede social pessoal.
- No momento de crise, o presidente fala como pessoa, e não como um *login* generalizado.

REFERÊNCIAS

Livros

ALMEIDA, Ana Luiza de Castro. "Identidade, imagem e reputação organizacional: conceitos e dimensões da práxis", in: KÜNSCH, Margarida Maria Krohling (Org.). *Comunicação organizacional: linguagem, gestão e perspectivas*. São Paulo: Saraiva, 2009, v. 2.

ARANHA, Maria Lúcia de Arruda; MARTINS, Maria Helena Pires. *Filosofando: introdução à Filosofia*. São Paulo: Moderna, 1995.

ARGENTI, Paul A. *Comunicação empresarial*. Rio de Janeiro: Elsevier, 2006.

BARDIN, Laurence. *Análise de conteúdo*. Lisboa: Edições 70, 2010.

BAUMAN, Zygmunt. *Amor líquido: sobre a fragilidade dos laços humanos*. Rio de Janeiro: Jorge Zahar, 2004.

______. *Ética pós-moderna*. São Paulo: Paulus, 1997.

______. *Globalização: as conseqüências humanas*. Rio de Janeiro: Jorge Zahar, 1999.

______. *Modernidade líquida*. Rio de Janeiro, Zahar, 2001.

BECK, Ulrich. *Liberdade ou capitalismo*. São Paulo: Ed. da UNESP, 200.

______. *O que é globalização*. São Paulo: Paz e Terra, 1999.

______. *World risk society*. Cambridge: Polity Press, 1999.

______. *Risk society: towards a new modernity*. Londres: Sage Publications, 1992.

______; GIDDENS, Anthony; LASH, Scott. *Modernização reflexiva*. São Paulo: Ed. da UNESP, 1997

BUENO, Wilson da Costa. *Comunicação empresarial: políticas e estratégias*. São Paulo: Saraiva, 2009.

______. *Comunicação empresarial: teoria e pesquisa*. Barueri, SP: Manole, 2003.

CARVAS JÚNIOR, Waldomiro. "Relações públicas no gerenciamento de crises", in: KÜNSCH, Margarida Maria Krohling (Org.). *Obtendo re-*

sultados com relações públicas. São Paulo: Pioneira Thomson Learning, 2006.

CASTELLS, Manuel. *A galáxia da internet: reflexões sobre a internet, os negócios e a sociedade.* Rio de Janeiro: Jorge Zahar, 2003.

CHIAVENATO, Idalberto. *Administração geral e pública.* Rio de Janeiro: Elsevier, 2006.

CHRISTOFOLETTI, Rogério. *Ética no jornalismo.* São Paulo: Contexto, 2008.

COSTA, Caio Túlio; MARQUES, Ângela; COELHO, Cláudio; KÜNSCH, Dimas; BUITONI, Dulcilia et al. *Esfera públicas, redes e jornalismo.* Rio de Janeiro: E-papers, 2009.

DEMAJOROVIC, Jacques. *Sociedade de risco e responsabilidade socioambiental: perspectivas para a educação corporativa.* São Paulo: Ed. Senac, 2003

DIÓGENES, Eliseu. *Administração, suas condicionalidades e fundamentos epistemológicos.* Maceió: Educafal, 2007.

ESTEVES, João Pissara. *Media, comunicação e moral comunicacional. Espaço Público e Democracia.* São Leopoldo: Ed. Unisinos, 2003.

______. *Opinião pública.* Covilhã, Portugal: Livros Labcom, 2010.

FEARN-BANKS, Kathleen. *Crisis communications: a case approach.* Nova Jérsei: Lawrence Erlbaum Associates, edições de 1996 e 2002.

FRANÇA, Fábio; GRUNIG, James E.; FERRARI, Maria Aparecida. *Relações Públicas: teoria, contexto e relacionamentos.* São Caetano do Sul, SP: Difusão Editora, 2009.

GIDDENS, Anthony. *As consequências da modernidade.* São Paulo: Ed. UNESP, 1991.

______. *Modernidade e identidade.* Rio de Janeiro: Jorge Zahar, 2002.

GOMES, Wilson; MAIA, Rousiley C.M. *Comunicação e democracia: problemas e perspectivas.* São Paulo: Paulus, 2008.

GOODMAN, Michael B. *Corporate Communications for executives.* Nova York: State University of New York, 1998.

HALLIDAY, Tereza Lúcia. "Discurso organizacional: uma abordagem retórica". In: *Comunicação organizacional: linguagem, gestão e perspectivas.* São Paulo: Saraiva, 2009. v. 2.

HABERMAS, Jürgen. *Toward a rational society.* Boston: Beacon Press, 1971.

______. *Direito e democracia,* Rio de Janeiro: Tempo Brasileiro, 1997.

HUMBERG, Mário Ernesto. "O profissional e a ética empresarial", in: KÜNSCH, Margarida Maria Krohling (Org.). *Obtendo resultados com Relações Públicas.* São Paulo: Pioneira Thomson Learning, 2006.

KUNSCH, Margarida Maria Krohling. *Comunicação organizacional: histórico, fundamento e processos.* São Paulo: Saraiva, 2009, v. 1.

______. *Comunicação organizacional: linguagem, gestão e perspectivas.* São Paulo: Saraiva, 2009. v. 2.

______. *Planejamento de relações públicas na comunicação integrada.* São Paulo: Summus, 2003.

______. "Planejamento estratégico para a excelência da comunicação", in: KUNSCH, Margarida Maria Krohling (Org.). *Obtendo resultados com Relações Públicas.* São Paulo: Pioneira Thomson Learning, 2006.

LIMA JÚNIOR, Walter. "Mídias sociais conectadas e jornalismo participativo", in: MARQUES, Ângela; COSTA, Caio Túlio; COSTA, Carlos et al. *Esfera pública, redes e jornalismo.* Rio de Janeiro: E-papers, 2009.

LUECKE, Richard. *Gerenciando a crise.* Rio de Janeiro: Record, 2007.

MARCONI, Joe. *Relações Públicas, o guia completo.* São Paulo: Cengage Learning, 2009.

______. *Marketing em momentos de crise.* São Paulo: Makron Books, 2000.

MARQUES, Ângela Cristina Salgueiro (Org.). *A deliberação pública e suas dimensões políticas e comunicativas: textos fundamentais.* Belo Horizonte: Autêntica, 2009.

MATOS, Heloiza. "Opinião Pública e conversação cívica", in: MARQUES, Ângela; COSTA, Caio Túlio; COSTA, Carlos et al. *Esfera pública, redes e jornalismo.* Rio de Janeiro: E-papers, 2009.

MITROFF, Ian. *Managing crises before they happen.* Nova York: Amacon Books, 2001.

MORIN, Edgard. *Os sete saberes necessários à educação do futuro.* São Paulo: Cortez; Brasília, DF: UNESCO, 2001

NASSAR, Paulo. *Tudo é Comunicação.* São Paulo, Lazuli, 2006.

NEVES, Roberto de Castro. *Crises empresariais com a opinião pública.* Rio de Janeiro: Mauad, 2002.

PORTO, Mauro. "Enquadramentos da mídia e política", in: RUBIM, Antônio Albino C. (Org.) *Comunicação e política: conceitos e abordagens.* Salvador: Edufba, 2004.

RECUERO, Raquel. *Redes sociais na internet*. Porto Alegre: Sulinas, 2009.

ROSA, Mário. *A síndrome de Aquiles: como lidar com as crises de imagem*. São Paulo: Gente, 2001.

______. *A era do escândalo: lições, relatos e bastidores*. São Paulo: Geração Editorial, 2007.

______. *A reputação na velocidade de pensamento*. São Paulo: Geração Editorial, 2006.

SODRÉ, Muniz. *A narração dos fatos: notas para uma teoria do acontecimento*. Petrópolis, RJ: Vozes, 2009.

SPLICHAL, Slavko. "A teoria de Ferdinand Tönnies sobre a opinião pública como uma forma de vontade social"; in: MAROCCO, Beatriz; BERGER, Christa (Org.). *A era glacial do jornalismo: teorias sociais da imprensa: pensamento crítico sobre os jornais*. Porto Alegre, RS: Sulina, 2006.

SUNG, Jung Mo; SILVA, Josué Cândido. *Conversando sobre ética e sociedade*. Petrópolis: Vozes, 2004.

TÖNNIES, Ferdinand. "Opinião Pública", in: MAROCCO, Beatriz; BERGER, Christa (Org.). *A era glacial do jornalismo: teorias sociais da imprensa: pensamento crítico sobre os jornais*. Porto Alegre: Sulina, 2006.

Artigos apresentados em congressos e seminários

GUIDUCCI FILHO, Edson; ALMEIDA, Vicente Eduardo. "Alimentação saudável e riscos alimentares: desafios da segurança alimentar no Brasil". Trabalho apresentado no *XLV Congresso da Sociedade Brasileira de Economia, Administração e Sociologia Rural*. Londrina, PR, 2007.

PERSIGO, Patrícia; FOSSA, Maria Ivete Trevisan. "Da crise a céu aberto às manchetes dos jornais: a Comunicação Organizacional e a construção do acontecimento jornalístico." Trabalho apresentado na Divisão Temática DT03 - Relações Públicas e Comunicação Organizacional do *XXXIII Congresso Brasileiro de Ciências da Comunicação*. Caxias do Sul, RS, 2010.

PORTO, Marcelo Firpo. "Riscos, incertezas e vulnerabilidades: transgênicos e os desafios para a ciência e a governança." Trabalho apresentado durante o *III Seminário Internacional de Estudos Interdisciplinares*. Florianópolis, SC, 2004.

Artigos em publicações diversas

CASALI, Alípio. "Ética e sustentabilidade nas Relações Públicas", in: *Organicom – Revista Brasileira de Comunicação Organizacional e Relações Públicas.* 2008, nº 8.

ESTEVES, João Pissara. "A 'sociedade de informação': tecnologia, *sound bites* ou a transparência remitificada", in: *Revista .txt*: textos de cultura e Comunicação. 2000, nº 42.

GONZÁLEZ-HERRERO, Alonso; SMITH, Suzanne. "Crisis communications management on the web: how internet-based technologies are changing the way public relations professionals handle business crises", in: *Journal of Contingencies and Crisis Management.* 2008, v. 16, nº 3, p. 143-53.

GUIVANT, Julia S. "A teoria da sociedade de risco de Ulrich Beck: entre o diagnóstico e a profecia", in: *Estudos Sociedade e Agricultura.* abr./2001, nº 16, p. 95-112.

______. "Riscos alimentares: novos desafios para a sociologia ambiental e a teoria social", in: *Revista Desenvolvimento e Meio Ambiente.* 2º semestre 2002, nº 5.

______. "A trajetória das análises de risco: da periferia ao centro da teoria social", in: *Revista Brasileira de Informações Bibliográficas.* ANPOCS, 1998, nº 46, p. 3-38.

HUMBERG, Mário Ernesto. "Ética organizacional e Relações Públicas", in: *Revista Brasileira de Comunicação Organizacional e Relações Públicas,* 2008, nº 8.

KITZINGER, Jenny. "Reserching risk and the media", in: *Health, risk & society,* 1999, v. 1.

MEI, Joana Siah Ann; BANSAL, Namrata; PANG, Augustine. "News Media: a News medium in escalating crises?", in: *Corporate Communications: an international journal,* 2010, v. 15, nº 2.

MELO, Waltemir. "Comunicação de risco: ação obrigatória das organizações que trabalham com produtos perigosos", in: *Organicom – Revista Brasileira de Comunicação Organizacional e Relações Públicas,* 1º Semestre 2007, nº 6.

RANGEL, Maria Lígia. "Comunicação no controle de risco à saúde e segurança na sociedade contemporânea: uma abordagem interdisciplinar", in: *Revista Ciência & Saúde Coletiva,* 2007.

RINALDI, Alexandra; BARREIROS, Dorival. "A importância da comunicação de riscos para as organizações", in: *Organicom – Revista Brasileira de Comunicação Organizacional e Relações Públicas,* 1º Semestre 2007, nº 6.

SHINYASHIKI, Roberto; FISCHER, Rosa; SHINYASHIKI, Gilberto. "A importância de um sistema integrado de ações na gestão de crise", in: *Organicom – Revista Brasileira de Comunicação Organizacional e Relações Pública,* 1º Semestre 2007, nº 6.

SROUR, Robert Henry. "Por que empresas eticamente orientadas?", in: *Organicom – Revista Brasileira de Comunicação Organizacional e Relações Públicas,* 2008, nº 8.

Artigos da internet

ALMAS, Reidar. "Food Trust Ethics and Safety in Risk Society." *Sociological Research Online,* 1999, v. 4, nº 3. Disponível em: <http://www.socreson-line.org.uk/4/3/almas.html>. Acesso em 15 de junho de 2010.

ANDRIOLI, Antonio Inácio. "Soja transgênica no Brasil: a polêmica continua." *Espaço Acadêmico.* Disponível em: <http://www.espacoacademico.com.br/025/25and.htm>. Acesso em 1º de novembro de 2010.

FARIAS, Luiz Alberto de Farias. "O poder e a cultura nas organizações contemporâneas." *Portal RP.* Disponível em: <http://www.portalrp.com.br/bibliotecavirtual/culturaorganizacional/0144.pdf>. Acesso em 24 de outubro de 2010.

Teses

MOTTA, Renata Campos. *O risco nas fronteiras entre política, economia e ciência: a controvérsia acerca da política sanitária para alimentos geneticamente modificados.* 109 p. Dissertação, Mestrado em Ciências Sociais, Universidade de Brasília, Brasília, 2008.

- Se for necessário convocar uma coletiva de imprensa, veja se é possível fazê-la *on-line*.
- Com a tecnologia de vídeo, também é possível fazer uma transmissão ao vivo, via internet, para outros *stakeholders*.
- Combinar o gerenciamento de crise tradicional com a imprensa e o método *on-line*, ou seja, desenvolver *releases* e enviá-los para o *mailing* pré-selecionado.
- Disponibilizar informações *on-line* para a imprensa, com fotos, vídeos e demais documentos para que os jornalistas elaborem suas reportagens.
- Na internet, também é necessário ser transparente e honesto.
- O processo de gerenciamento de crise *on-line*, no que diz respeito às respostas, não deve passar de três horas para sua postagem. O ideal é fazê-la dentro da primeira hora.
- A internet tem alcance mundial. Dependendo do porte da empresa, é necessário ter a versão do site em inglês.
- Se for uma multinacional, avisar e alinhar com as demais filiais suas ações e traçar o modo como todos devem proceder caso haja questionamento.

Etapa 3 – Pós-crise

- Monitorar os reflexos da crise.
- O monitoramento da marca deve ser constante.
- Manter a comunicação com posts atualizados referentes ao tema da crise, tanto no website como nas redes sociais.
- Avaliar a crise e rever como a empresa lidou com os fatos.
- Nos casos negativos, revisar e definir novas ações no plano.
- Definir a estratégia para reconstruir a reputação da marca na internet.
- Alinhar a estratégia da comunicação *on-line* com a *off-line*.
- Agradecer aos *stakeholders* que estiveram ao lado da marca nos momentos difíceis.

Contato com a autora:
pteixeira@editoraevora.com.br

Este livro foi impresso pela gráfica
Edições Loyola em papel Lux Cream 70 g.